As a remembrance
to my visit,
April 2nd, 1987

Universitätsstadt Marburg

Hermann Bauer (Text)
Wilhelm Kessler (Chronik)
Klaus Laaser (Fotos)

2. Auflage 1986

Verlag Klaus Laaser

MARPVRG.

Radierung von Matthaeus Merian d. Ä.

Blick von der Bismarckpromenade

Am Grün

Altstadt

Marktplatz mit Rathaus

Elisabeth-Relief

Marktfrühschoppen

Schloß

Gedächtnisraum für das Religionsgespräch

Schloßkapelle

Blick vom Schloßberg

Schloßtreppe 1

Barfüßerstraße

Hochzeitshaus

Augustinergasse

Barockfachwerk

Hirschberg 13

Hofstatt 23

Hofstatt 19–21

Wettergasse

Flohmarkt

Flohmarkt

Steinweg

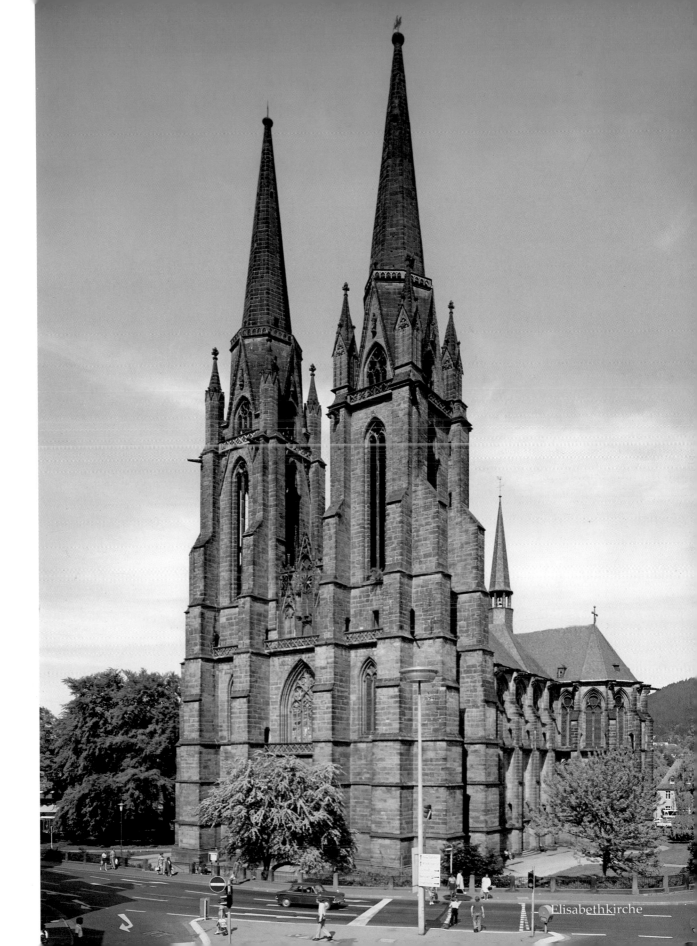

Elisabethkirche

Elisabethkirche, Hauptportal

Elisabethkirche, Mittelschiff nach Osten

Medaillonfenster

Elisabethschrein

Blick von der Elisabethkirche

Auditoriengebäude

Alte Universität

Herrenmühle

Stresemannstraße

Altstadt

Philosophische Fakultät und Universitätsbibliothek

Neubau des Klinikums

Heißluftballonstart (Flugplatz Marburg-Schönstadt)

Dammühle

Michelbach

Universitätsstadt Marburg

Seit dem 16. Jahrhundert bilden – neben der Wiedergabe bestimmter Landschaften und berühmter Bauwerke – Stadtansichten eine eigene künstlerische Darstellungsform (Kupferstiche, Holzschnitte, Zeichnungen), die sich wachsender Beliebtheit erfreut und erheblich zum Bekanntwerden der Städte beigetragen hat. So bot auch das reizvolle Stadtbild Marburgs Anlaß zu immer wieder neuen Darstellungen, mit deren Hilfe man heute die Entwicklung des Stadtbildes verfolgen kann. In der Marburger Stadtgeschichte von Dettmering-Grenz (1980) lesen wir im Aufsatz von Ekkehard Schenk zu Schweinsberg: »Die Stadtansicht von Wilhelm Dilich (1571–1650) ist das Urbild der barocken Marburgveduten«. Und 30 Jahre später, also noch während des 30jährigen Krieges, zieht der bekannte Frankfurter Künstler Matthaeus Merian d. Ä. (1593 Basel – 1650 Schwalbach) die Summe der verschiedenen Marburgbilder durch seinen Kupferstich ❷, der unsere vom Schloß gekrönte alte Bergstadt durch die wirkungsvolle Vordergrundsumrahmung einzigartig zur Geltung bringt.

Zugleich offenbart sich ein anderes Wunder: Das Marburg von heute gleicht im Kern noch immer der aus dem 13. Jahrhundert stammenden Stadtschöpfung. Wie einst schmiegt sich die mittelalterliche Siedlung an den Hang des Schloßberges, wie einst ragen aus dem Gewimmel der kleinen Bürgerhäuser Kirchtürme und einige prominente Bauten heraus, die an den ursprünglichen Residenzcharakter der Stadt erinnern. Wie dem Zeichenkünstler vor 350–400 Jahren bietet sich dem Fotografen heute von den jenseitigen Lahnbergen der Blick über ganz Alt-Marburg ❸. Das ist Marburg an der Lahn, eigentlich ob der Lahn, über der Lahn. Nur die Straße »Am Grün« ❹ und die Vorstadt Weidenhausen liegen an der Lahn. Und dort hat man im Mittelalter den Fluß ausgenutzt für ein besonderes Gewerbe: Lohgerber bereiteten dort Leder aus Fellen. Außerdem waren auch Töpfereien ein typisches Marburger Gewerbe.

Alt Marburg ob der Lahn ist eine Bergstadt. Der Blick vom Rudolphsplatz hinauf zum Schloß ❺ zeigt, wie eng im inneren Stadtbereich die Häuser zusammengepfercht sind. Das macht den Stadtkern zwar untauglich für modernen Verkehr, schafft aber dafür gar viele intime Idylle. Und ausdrucksvoll ist ja doch immer wieder die hochragende Bildkrönung durch das fein gegliederte alte Landgrafenschloß.

Die Berghanglage macht direkte Aufstraßen unmöglich, deshalb gilt der Rat: Das Auto lasse man im Tal, es hilft nichts, man muß zu Fuß hinan, oftmals über Treppen. Vom Tal bis zur Schloßterrasse sind's 430 Stufen – doch keine Angst, wir können auch die schiefen Ebenen benutzen: Lahntor/Reitgasse/Marktgasse/Markt/Landgraf-Philipp-Straße. Der Weg führt über den mittelalterlichen Marktplatz mit dem alten Rathaus, dessen Bau (1512–1527) zugleich eine Zäsur zwischen Mittelalter und Neuzeit (Nachreformation) kennzeichnet ❻. Da sitzt man (d. h. die Jugend) ganz gemütlich herum. Das alte Rathaus zeigt uns am Wendeltreppenturm St. Elisabeth, der wir alles zu verdanken haben. Wäre sie als Landgräfin-Witwe von der Wartburg nicht nach Marburg gekommen und auch als Tote hier geblieben, dann wäre es gewiß nicht dazu gekommen, daß die Marburger Bürger sich solch stattliches Rathaus hätten bauen können. Das Elisabeth-Relief ❼ des Marburger Künstlers Ludwig Juppe, dem wir namentlich in der Elisabethkirche viele feine Schnitzaltäre verdanken, der aber auch schon in Kalkar sein Können bewiesen hatte, zeigt uns Marburgs große Heilige, wie sie schützend in ihrer Hand das Stadtwappen hält.

Einmal im Jahr, am ersten Juli-Sonntag ist die alte Stadt ganz und gar eine Stadt der Jugend: Beim Marktfrühschoppen ❽. Aber halt, nicht allein die Jugend kommt da zusammen, viele ehemalige Marburger Studenten und Bürger, bei denen diese einst wohnten, sammeln sich da, trinken und singen und sind fröhlich.

Im Hintergrund ist der Giebel des Rathauses mit seinen aus dem 16. Jahrhundert stammenden Kostbarkeiten zu erkennen: Das Spielwerk der Uhr, wo zu jeder vollen Stunde der Hahn mit den Flügeln schlägt und der Wächter ins Horn stößt, der Tod seine Sanduhr dreht und Justitia die Waage bewegt, um uns zu zeigen, daß das Recht noch nicht eingeschlafen ist. Und eine schwarz goldene Kugel sagt dem Betrachter, ob's Tag oder Nacht ist.

Um uns herum allerlei interessante Häuser, wir aber wollen aufwärts zum Schloß **9** , es sind genau 100 Meter Höhenunterschied zu überwinden. Wo einst die Zugbrücke zum äußeren Schloßhof führte, geleitet uns jetzt üppiger Blumenschmuck, man sieht links den früheren Marstall (jetzt Stipendiatenanstalt der Universität), dahinter den großen Saalbau und rechts den Westflügel, einst Wohnbau der höfischen Gemeinschaft.

Der Residenzglanz im Innern ist längst entschwunden, fürstliche Ausschmückung ist daraus gewichen, sie wurde von den Kasseler Landgrafen nach Kassel übernommen. Das Marburger Schloß wurde Festung, Kaserne, Lazarett und im vorigen Jahrhundert gar Gefängnis. Nach der Annektion Kur-Hessens durch das Land Preußen hat man diese Degradierung wieder gut gemacht und in den weiten Schloßräumen das bedeutende Staatsarchiv untergebracht, bis im Marburger Südviertel dafür ein moderner Zweckbau erstanden war (1938). Nach dem 2. Weltkrieg wurde das Schloß durch die amerikanische Besatzungsmacht der Universität übereignet, deren Religionskundliche Sammlung dort einzog. Und nachdem diese in das ehemalige Kanzleigebäude umgezogen war, wurde aus dem Schloß mehr und mehr ein kulturhistorisches Museum. Aber auch die leeren Räume sind architektonische Sehenswürdigkeiten, haben zu ihrer Gestaltung doch einst die Meister der Elisabethkirchen-Bauhütte beigetragen. Das gilt vor allem für den großartigen Rittersaal. Aber auch die Schloßkapelle **11** hat ihre Reize: Auf einem Grundriß mit Symmetrie nach Osten und Westen ist ein Kultraum eigenartiger Prägung entstanden. Und nicht zu vergessen das Wandbild: Marburgs berühmter Christophorus! Außerdem bot das Schloß den äußeren Rahmen für das Marburger Religionsgespräch von 1529. Damals hatte Philipp der Großmütige, in weiser Voraussicht, daß die protestantische Seite sich nicht entzweien dürfe, Luther und Zwingli und ihre Mannen zur Überwindung ihrer gegensätzlichen Auffassungen hier zusammengerufen.

Landgraf Philipp hat sein Ziel zwar nicht voll erreichen können, es blieb die Trennung hie Lutheraner – hie Reformierte, die in der Abendmahlsfrage nicht einig wurden, doch wir lesen hier im Gedächtnisraum für das Religionsgespräch **10** das Schlußprotokoll mit dem schönen Gelöbnis: »Wenn wir uns...auch nicht ganz einig geworden sind...so soll doch einer den andern achten und ehren...« Das Monumentalgemälde des Hofmalers Noack zeigt in lebensvollen Porträts die Teilnehmer dieses Gespräches im Rittersaal; inzwischen haben wir aber umgelernt: nicht in dem großen Rittersaal, sondern im kleinen Wohnkabinett des Landgrafen werden sich die Teilnehmer getroffen haben.

Der Blick von der Schloßterrasse zum jenseitigen Lahnufer, zu den Lahnbergen **12** , von wo aus uns Merian auf Alt-Marburg schauen ließ, läßt die unter uns am Hang liegende Altstadt zwar ganz verschwinden, doch hoch ragt daraus hervor, über uns hinweg, der Turm der alten Stadtkirche, im 13., 14., 15. Jahrhundert errichtet. Ihr schiefer Turm fällt auf – ob er gleich so errichtet wurde, dem meist aus Süden wehenden Wind zu begegnen, wie manche meinen, oder erst durch die Südsonne so verzogen wurde, wie andere sagen? Jedenfalls zeigt uns das Bild die wechselvollen Motive, vom Schloßberg bis zu dem Neubauviertel am Richtsberg – es sind zwei verschiedene Welten!

Laßt uns zurückkehren ins alte Marburg, uns gemächlich umsehen in den engen Gassen, wir kommen wieder zum Obermarkt **13** und freuen uns darüber, wie in den letzten Jahren von vielen alten Häusern der Putz verschwunden ist, unter dem man zumeist so um 1800 herum das ›Fachwerk verbergen wollte, weil man glaubte, das sähe zu ›bäuerisch‹ aus. Wie glücklich sind wir darüber, daß im Zuge einer großzügig durchgeführten Sanierungsaktion viele alte Fachwerkhäuser durch Freilegung der Balken wieder neuen Glanz erhalten.

Gewiß, ein solider Steinbau, den sich der reiche Marburger Bürger Hermann Schwan ca. 1528 errichten ließ, (heute fälschlicherweise Hochzeitshaus **15** genannt), verrät den Wohlstand des Bauherrn; doch die jetzt wieder zu Ehren kommenden alten Fachwerkhäuser, meist aus dem 16./17. Jahrhundert, beleben das Bild der mittelalterlichen Stadt ebenso sehr. Die Barfüßerstraße ⑭ erhielt ihren Namen, weil sie zum einstigen Franziskaner = Barfüßer Kloster führt. Den Autos hat man dort das Rasen verwehrt durch die abgestellten Beton-Blumenkübel – die Fußgänger haben hier nun wieder ihre Vorrechte und können sich erfreuen an allerlei interessanten Hausfronten. Dem aufmerksamen Beobachter werden mancherlei Hinweise nicht entgehen: wo Martin Luther wohnte, wo die Brüder Grimm ihr Domizil hatten, als sie in Marburg studierten. Im Pflaster ist auch (zwischen den Häusern Nr. 28 und Nr. 30) markiert, wo hier einst das Stadttor stand, ehe die Mauer weiter draußen gebaut wurde. Die Nebengassen sind eng und steil; es kann bei Marburgs Hanglage keine Aufwärtsstraßen geben, man muß klettern, vielfach über Treppen hinweg. So kommen wir zur Augustiner Gasse ⑯, einst Sitz der Alsfelder Klosterfrauen, später Wohnplatz vornehmer Bürger. Die Sanierung hat hier prachtvolle Fachwerkhäuser zu Tage gefördert. Eine moderne Brunnenanlage von Rudolf Trautmann, Marburg, fügt sich harmonisch ins Bild. Das Marburger Fachwerk zeichnet sich hier durch ganz feste Zimmermannsarbeit aus ⑰.

Im Kern der Altstadt, d. h. oberhalb (Rübenstein) und unterhalb (Untergasse und Hofstatt) der Barfüßerstraße, erfreuen uns weiterhin eine ganze Reihe schön sanierter Fachwerkhäuser wie hier im Bild ⑱ das herrliche Eckhaus Hirschberg 13 oder in der Hofstatt ⑲ + ⑳. Beide Male sehen wir auch das in Marburg übliche oder besser notwendige Treppauf-Treppab. Wem das zu beschwerlich wird, der nehme für den Rückweg die einzige Durchgangsstraße ohne Treppen, die Wettergasse ㉑; eben ist sie zwar auch nicht, aber für Marburger Verhältnisse auch für Gäste aus dem Flachland gangbar, zumal dieser Straßenzug Fußgängerzone wurde, so daß man hier gemütlich auf der Straße sitzen kann. Erinnerungstafeln erzählen uns noch allerlei: Links, Wettergasse 12, wohnte einst Wilhelm Liebknecht (1826–1900), Vater von Karl Liebknecht, gegenüber der Dichter des Weserliedes und späterer Wiener Burgtheaterdirektor Franz Dingelstedt (1814–1881), beides einst Marburger Studenten in der ›guten alten Zeit‹, d. h. in der kleinbürgerlichen Zeit. Ein paar Häuser weiter,

Nr. 16, liest man dann: »Hier wohnte Ernst Höfling, der Dichter des Liedes ›O alte Burschenherrlichkeit‹«. So kann man sich von Marburger Häusern gar viel erzählen lassen ...

Bei Wettergasse 16 sehen wir auch wieder, wie Nebengassen nach oben und unten Treppenstiegen sein müssen. Aufwärts führt die Wettergasse bis zur Wasserscheide, dann abwärts zur Neustadt – das ist die Neustadt von 1260! Also heute durchaus Alt-Stadt, wenn dort auch keine alten Häuser mehr stehen, denn vor 140 Jahren hat ein Großbrand die sogenannte ›Schustertürkei‹ vernichtet. Nach Neustadt 26 setzt sich der Straßenzug nach unten als ›Steinweg‹ fort, die Verbindungsstraße von der Bergstadt am Hang zum Land Elisabeths, zum Land des Deutschen Ordens. Da wird die Straße plötzlich breit, was aber nur dadurch möglich ist, daß sie nun in drei Etagen geführt wird: oben der eigentliche Steinweg, unten ›das Loch‹ und dazwischen ›die Plantage‹, jeweils von Mauern abgestützt. Hier bietet sich Raum für den Flohmarkt an jedem ersten Sonnabend im Monat. Wie lebendig es da zugeht, zeigt uns das Bild auf Seite ㉒, das ist der Steinweg ganz oben, wo die Straßen-Dreiteilung beginnt, zugleich aber die Fußgängerzone aufhört. Im ›Loch‹ gibt's heute noch eine Kunsttöpferei, wo echte Marburger ›Dibbchen‹ in Handarbeit hergestellt werden – letztes Erinnern an lukrative Vergangenheit ... Der Flohmarkt aber nimmt mehr und mehr an Bedeutung zu; bis hinunter ins Tal, wo der Mönchsbrunnen ㉓ die Plantage abschließt, bietet sich ein tolles Sortiment den Besuchern an. Und wo der Steinweg sein Ende nimmt ㉔, ist die Straße wieder zum gemütlichen Sitzplatz geworden. – Überall fällt auf: Die alte Stadt ist ganz und gar eine Stadt der Jugend geworden. Es ist ja doch ein gar sonderbares Verhältnis: 76200 Einwohner hat Marburg und davon 14600 Studenten!

Wenn wir nun den Steinweg verlassen, liegt vor uns das älteste Marburg, die Stätte, der wir das ganze Werden zu verdanken haben: Hier, außerhalb des Stadtbereichs, – nicht oben im Schloß – siedelte sich vor über 750 Jahren die von der Wartburg fliehende, von ihrem Beichtvater Conrad von Marburg geleitete Landgrafenwitwe Elisabeth an, hier starb sie nach wenigen

Jahren hingebender Aufopferung, hier wurde sie begraben, wenig später als Heilige aus dem Grab erhoben – hier erbaute im 13. Jahrhundert der Deutsch-Ritter-Orden über dem Grab den herrlichen Dom, die St. Elisabethkirche **②⑤**, Marburgs herrlichstes Baudenkmal. Ja, Marburg ist dankbar und glücklich, dieses Meisterwerk der frühesten gotischen Kunst zu besitzen. 1235 wurde der Grundstein gelegt, 50 Jahre brauchten die Meister für die Halle, weitere 50 Jahre für die Errichtung der Türme schlossen sich an – dann war sie vollendet, diese einmalig schöne Kirche, und sie hat ihre 700 Jahre in fabelhafter Weise überdauert. Zahlreich sind die Bewunderer dieses Kunstwerks; wer nach Marburg kommt, muß sich vertiefen in dieses ›Gedicht aus Stein‹. Imponierend ist die Klarheit der Formen, dabei so solide konstruiert, daß das Gebäude die Jahrhunderte ganz sicher überstanden hat. Zudem hat der Marburger Sandstein – seine Brüche liegen gleich gegenüber im Lahnbergrücken – besondere Festigkeit bewiesen. Auch wo im Tympanon des Hauptportals **②⑥** die Steinmetzen detaillierter gearbeitet haben, in der schönen Ausmeißelung der Madonna, der Engel, des Wein- und Rosenlaubs, offenbart sich die Güte des Gesteins. Und darunter die Eisenbeschläge wie die kraftvollen Löwenkopftürklopfer an den beiden großen Türflügeln beweisen ebenso die Meisterschaft der Bauhütte, deren Gründung der Deutsche Orden im 13. Jahrhundert hier in Marburg veranlaßt hat. Der Eintritt in die Kirchenhalle **②⑦** offenbart ebenso das Können jener Künstler: welche Ebenmäßigkeit, welche Erhabenheit – welche mittelalterliche Glanzleistung! Die hohen Gewölbe werden aufgefangen von den Pfeilern, Gewichte und Spannungen heben sich gegenseitig auf – uns werden die Augen geöffnet und wir erleben voll Hochachtung die Leistung der Baukünstler des 13. Jahrhunderts. Über den Lettner (14. Jh.) hinweg schauen wir in den hohen Chor, in den das Licht einfällt durch die Glasgemäldefenster, deren eines uns (das Medaillonfenster **②⑧**) im Detail Elisabeth bei der Pflege am Krankenbett zeigt. Der Hochaltar, ganz kunstvoll aus Sandstein gehauen, und erst recht der goldene Elisabeth-Schrein **②⑨**, aus der Schule des Meisters von Verdun (1235–1250), für sich gesichert in der Sakristei, unterstreicht

die Meisterschaft aller, die vor 700/750 Jahren am Bau der Elisabethkirche mitwirkten. Nun ist der Fotograf zum Glockengeschoß des Südkirchturms heraufgestiegen, um den Blick auf Marburgs Schloßberg **③⓪** festzuhalten. Da sieht man wieder den Steinweg, rechts den Roten Graben, die Sternwarte auf dem ehemals Dörnberger Hof am Renthof, darüber das krönende Schloß. Wir aber wollen durchs Biegenviertel gehen, wohin die Universität mehr und mehr ausgewichen ist, so daß uns der Blick auf die Steile des Schloßbergs durch das breit hingelagerte neue Hörsaalgebäude **③①** teilweise verwehrt wird; drum gleich weiter zum Rudolphsplatz, wo die Bergstadt am weitesten gegen die Lahn vorstößt. Dieser Eckpfeiler der Altstadt hat kraftvoll gegliederten Ausdruck gefunden in der Aula der Alten Universität **③②**, die uns beschert wurde, nachdem Kurhessen durch das Bismarcksche Preußen annektiert worden war. So blieb von dem ursprünglichen Dominikanerkloster nur die alte Kirche übrig, die auf hohem Felsen stehend die kleinbürgerliche Häusergruppe mit dem alten Brauhaus majestätisch überragt. Wo hier Fluß und Berg hart aneinander stoßen, hat schon im Mittelalter die Herrenmühle **③③** Platz gefunden, deren Gebäudesubstanz durch mancherlei Schicksalsschläge sehr reduziert, doch in der Neuzeit zum interessanten Baudenkmal wurde: Die Tafel des Schmuckgiebels berichtet uns – in Lateinisch und Deutsch – wie Meister Baldewein, nicht »Balde, Weinarchitekt«!, Ende des 16. Jahrhunderts die Mühle neu errichtete. Hier bildete schon in Marburgs Frühzeit erst eine Furt, dann eine Brücke über die Lahn den Stadteingang. Bevor wir hinüber nach Weidenhausen gehen, läßt uns das duftige Blumenbild noch ins Südviertel schauen, den Stadtteil, der als aufgelockertes Wohnviertel entstand, nachdem die Stadtentwicklung in den Gründerjahren schnell von 15000 auf 25000 und mehr Einwohner anstieg. Da konnten nun, nachdem einst Lindenalleen an der Frankfurter Straße und der Schwanallee das weite Wiesenland umsäumt hatten, Kugelakazien, Gingko biloba, der heilige Baum der Inder, und, wie hier im Bild, die Japanische Kirschblüte **③④** ihre Naturschönheiten entfalten!

Doch nun hinüber zum linken Lahnufer, wo uns ein freier Blick auf den Schloßberg ❸❺ gewährt wird. Kaffees und Gaststätten mit ihren die Stadtmauer übergreifenden Terrassen haben sich breit vor das mittelalterliche Marburg gesetzt – aber interessant ist der Blick doch, zumal Altbauten (Rathaus, Pfarrkirche, »Alte Kanzlei«, Schloß) überragend hervortreten. Wenn wir dann aber Weidenhausen, in welchem uns die Sanierung allerlei Neues/Altes hervorgezaubert hat, durchquert haben und bis zur Siechenkapelle St. Jost gelangt sind, umgibt uns nun ganz die Neuzeit. Hierhin sind die Philosophische Fakultät und die Universitäts-Bibliothek ausgewichen ❸❻. Das ist der Zug der Zeit, und der Volksmund hat wohl recht, wenn er die Beton-Glas-Aluminium-Würfel »Elefantenfüße« nennt. Als Hintergrund werden noch die Lahnberge sichtbar, auf deren Höhe für die Medizin ❸❼ und Naturwissenschaften seit 20 Jahren neue Gebäude errichtet werden, am Rande der Stadt, in der Papin die Dampfmaschine, Bunsen den Bunsenbrenner, Emil v. Behring die Serum-Therapie ersann. – Es gibt gar viel Interessantes aus diesem alten Städtchen zu berichten. Auch wenn wir die Heißluft-Ballons ❸❽ über unsere Stadt schweben sehen, wie einst Alfred Wegener den Gasballon ›Marburg‹ oftmals hier in die Lüfte leitete.

Und was auch so schön und interessant ist: die reizvolle Umgebung! Wenn man Besucher aus überbevölkerten Großstädten über die Berge durch die Wälder führt, zur Dammühle ❸❾, nach Michelbach ❹❶, zum Frauenberg mit dem herrlichen Ausblick von seiner Burgruine – um nur diese geruhsamen Stätten im Umkreis unserer Stadt zu nennen –, immer wieder darf man aus dem Mund unserer Gäste hören: Ach, wie schön habt Ihr's doch in Marburg!

Und bin ich ein alter Geselle, und bleichte die Zeit mir das Haar, so such ich noch einmal die Stelle, wo damals so glücklich ich war. Seh still auf das alte Nest nieder und schwing dann jungselig den Hut. Stimm ein in das Lied aller Lieder: Alt Marburg, wie bin ich dir gut!

The University Town of Marburg

Since the 16th century, views of towns along with reproductions of landscapes and well-known buildings constituted a separate artistic genre (copper engravings, woodcuts, drawings) which enjoyed an ever increasing popularity and which contributed greatly to the fame of various towns. It is not surprising, therefore, that the delightful townscape of Marburg was the inspiration for a series of pictorial representations, by means of which it is possible today to trace the development of the city's profile. Ekkehard Schenk zu Schweinsberg in his article in "The History of Marburg" by Dettmering and Grenz (1980) has observed that "the town view by Wilhelm Dilich (1571–1650) is the prototype of the old Baroque views of Marburg". Another famous artist, the noted Frankfurt copper engraver, Matthaeus Merian the Elder (1593 Basel – 1650 Schwalbach), was responsible for a particularly beautiful etching, executed about 30 years after the Dilich engraving, and which portrays the ancient hill-town nestling into the shadow of the towering castle ❷.

At the same time, one notices with astonishment that the heart of present-day Marburg is still the same as the town structure dating from the 13th century. Now, as then, the medieval settlement hugs the slopes of the castle hill, and we can still see the silhouettes of church towers and prominent public buildings rising up out of the throng of small town houses, which are a permanent reminder of the special character of the city as the residence of the Landgraves of Hesse.

The Lahn hills on the opposite side of the river provided the artists with a perfect vantage point from which to view the town, and today, more than 350 years later, they offer the modern photographer a magnificent panorama of old Marburg ❸. This is Marburg on the Lahn, or, more accurately, Marburg *above* the Lahn. Only the street Am Grün ❹ and the small suburb of Weidenhausen are actually *on* the Lahn. In the middle ages one trade in particular made good use of the river where hired tanners prepared leather from skins. Another typical Marburg craft was pottery.

Old Marburg above the Lahn is a hillside town. The view from the Rudolph Square up to the castle ❺ shows the houses very tightly packed into the old inner city area. As a result, the city centre is quite incapable of coping with modern traffic, but on the other hand, many an idyllic nook and quiet corner is to be found there. The beautifully proportioned castle of the Landgraves of Hesse provides a permanent and imposing crown to this charming picture.

The steep hillside location prevents the building of direct roads to the top of the town, and the best advice one can give the visitor is to leave the car in the valley and to go by foot. There are several flights of steps to be climbed, from the valley to the castle terrace there are 430 steps in all. However, the faint-hearted need not despair, it is possible to take a route through streets sloping gently upwards: Lahntor, Reitgasse, Markt, Landgraf-Philipp-Straße. This route takes us past the medieval Market Square with its own town hall whose architecture bears testimony to the break between the middle ages and the post-reformation period ❻. Here, the young people love to sit around and relax.

On the tower staircase of the town hall we can distinguish a statue of St. Elisabeth to whom Marburg owes everything. If she had not come to Marburg from the Wartburg as widowed Countess of Thuringia, and if her remains had not been preserved here, then it is very probable that the citizens of Marburg would never have been able to afford such an imposing town hall. Let us take a closer look at this sculpture of St. Elisabeth ❼. This is the work of the Marburg artist, Ludwig Juppe, who was responsible for several carved altars in the St. Elisabeth Church, and whose artistic achievement can also be admired in Kalkar. Here, he has portrayed Marburg's patron saint with the town's coat of arms held in her protective hands.

Once a year, on the first Sunday in July, the "Early Morning Pint Festival" is held and the old city is transformed into a city of youth ❽. But not only the young people assemble here for the traditional festival, the town's citizens mingle with them for a merry singing and drinking session and meet again many a former student who used to lodge with them. In the background, one can perceive the gable of the town hall with its 16th century treasures: the musical clock surmounted by a cock clapping his wings when the hour strikes, accompanied by the guardian blowing his horn, death turning his hour-glass, and Justitia swinging her scales in order to demonstrate that the law is not asleep. A black and golden ball signals to the spectator whether it is day or night.

All around us are fascinating houses, but our way takes us first to the castle ❾. The altitude difference between valley (180 m above sea-level) and castle (280 m) is exactly 100 metres. At the spot where the drawbridge used to open onto the outer courtyard are rows of luxuriantly blooming flowers, and to the left, we can see the former stables, now converted into quarters for the scholarship holders at the university. Behind them are the large assembly rooms, and to the right, the west wing, formerly the residential complex of the court.

The castle's splendour as the seat of a ruling family vanished long ago. The splendid interior furnishings were removed by the Landgraves of the Kassel branch of the family to their new residence there. The Marburg castle became in turn a fortress, barracks, military hospital, and in the last century, even a prison. After the annexation of the Electorate of Hesse by the Prussians, the castle was put to a use more befitting its historical dignity. Its spacious rooms became the temporary home of the state archives until a modern purpose-built construction was designed for the state papers in Marburg's "South Suburb".

After the second world war, ownership of the castle was transferred to the university by the American occupation authorities. The castle then housed the university's religious collection until this was transferred to the former chancellery buildings nearby. By degrees, the castle became transformed into a museum for cultural history. The empty castle rooms are of considerable architectural interest, as they were designed in part by the master builders responsible for the construction of the St. Elisabeth church. This applies in particular to the marvellous knights' hall. The castle chapel is also full of charm ⓫. On a ground plan, symmetrically laid out from east to west, a place of worship with its own inimitable character has been created. Unforgettable, too, is the mural showing Marburg's famous St. Christopher.

The castle was also the scene of the famous religious dialogue in 1529. The reigning Landgrave, Philip the Magnanimous, realizing the necessity of preventing a split between the Protestant groupings, invited Luther, Zwingli and their supporters to discuss their differing viewpoints. Landgrave Philip was unable to fulfill his objective completely. Lutherans and Reformationists were not able to bridge their differences on the Eucharist question. However, in the memorial room ❿ the records of the religious dialogue contain the following solemn pledge: "Even though we have not come to complete agreement, each of us agrees to respect and honour the other". The monumental painting by the court painter Noack is a vivid portrayal of the participants in the dialogue against the background of the knights' hall. In the meantime, however, we are aware of the true historical facts. The participants met, not in the large knights' hall, but in the smaller private apartments of the Landgrave.

The view from the castle terrace to those Lahn hills ⓬ on the other side of the river bank from which Merian made us gaze on old Marburg, allows the ancient town below us to disappear completely beneath the castle slopes. Jutting up in front of us is the tower of the old parish church (Luther Church), built between the 13th and 15th centuries. One cannot help noticing its leaning tower. Some maintain that it was constructed in this manner to face the wind which mainly blows from a southerly direction, others say that it was warped by the hot sun. This panorama with its alternating views embracing the space from the castle hill to the new residential surburbs on the Richtsberg offers us a glimpse of two completely different worlds.

Let us return to old Marburg and explore its narrow streets and alleyways. At the Obermarkt (Upper Market Square) it is a pleasure to see how the plastering put on so many old houses around 1800 because they were considered too rustic has been removed in recent years ⓭. As a result of a large-scale restoration project, many old timber-framed houses have been restored to their former glory.

Undeniably, the solid stone building incorrectly known as the Bridal House, and erected ca. 1528 by a wealthy Marburg citizen, Hermann Schwan, reveals the prosperity of its owner, but the old timber-framed houses dating mainly from the 16th and 17th centuries and enjoying a new popularity, do just as much to enliven the aspect of the medieval town ⓯. The Barfüsser Street got its name because it led to the Franciscan (bare-footed monks) monastery ⓮.

Traffic has been prevented from speeding through these narrow streets by means of strategically placed concrete flower containers, and pedestrians now have full right of way, and can safely stop to admire several extremely interesting house façades. The alert observer will notice a number of places of historical interest: the house where Martin Luther stayed, and that occupied by the Brothers Grimm during their student days in Marburg. The spot where once the city gate stood, before the walls were extended further outside the old city boundaries is marked on the plastering between the houses nos 28 and 30.

The side lanes are sloping and narrow. Marburg's hillside location makes streets leading directly upwards impossible, one has to ascend via various flights of steps. So we reach the Augustiner Lane, once the site of the Alsfeld nuns' convent and later the residence of high-ranking citizens ⓰. The restoration project carried out here has brought to light several fine timber-framed houses ⓱. A modern fountain designed by Rudolf Trautmann, Marburg, blends harmoniously into the scene.

In the heart of the old town, in Rubenstein (above the Barfüsser Street) and in the Untergasse and Hofstatt (below it), we can continue to enjoy the sight of whole rows of beautifully restored timber-framed houses, like the magnificent corner house, Hirschberg 13 ⓲, or those in the Hofstatt ⓳ + ⓴ . Each time, we notice the flights of steps so typical of Marburg, and so necessary, too. Whoever finds them too steep can take the only through street, the Wettergasse ㉑, on the return journey. It is not level, but at least it is without steps. This street has been converted into a pedestrian zone. There are several informative memorial plaques on the houses here. To the left, in Wettergasse 12, Wilhelm Liebknecht (1826–1900), father of Karl Liebknecht (shot in 1918) once resided. On the opposite side lived Franz Dingelstedt (1841–1881), composer of the Weser song and director of the Vienna Burg Theatre. Both were once students at the university in "the good old days". A couple of houses further on, at no. 16, there is a plaque bearing the following text: "Here lived Ernst Höfling, composer of the song Oh, the Good Old Student Days". Thus, the houses can tell the attentive visitor much about the town's former inhabitants.

At Wettergasse no. 16 we notice once again how the side lanes leading upwards and downwards consist of flights of steps. The Wettergasse inclines upwards to the Wasserscheide (Watershed), then it descends to the Neustadt (New Town). Neustadt dates from 1260, and it forms an integral part of the old town, even though no more old houses are to be found here, due to a disastrous fire 140 years ago which totally destroyed the "Schustertürkei", as the shoemakers' quarter was commonly called.

After Neustadt 26, the downward sloping street continues under a different name, Steinweg (Stone Way). This is the connecting street between the hillside castle town and the river valley so closely associated with St. Elisabeth and the Order of the Teutonic Knights. The street widens considerably at this point, due to the fact that it has been constructed in three tiers supported by walls: on top the Steinweg, at the bottom "das Loch" (the Hole), and in the middle the "Plantage" (Plantation). This is the scene of the flea market which is held on the first Saturday of every month. Photograph no. ㉒ shows what a lively event this is. Right at the top, where the triple division of the street begins and the pedestrian zone ends, is the Steinweg. In the "Loch" there is a potter's workshop where the genuine Marburg pottery mugs, the "Dibbchen", are made by hand, the only remaining trace of a once flourishing handcraft in the town.

The flea market extends in ever increasing size down to the point where the Plantage terminates in the "Mönchsbrunnen" (Monks' Well) ㉓, and offers the visitor a fascinating collection of objects for sale. At the point where the Steinweg ends ㉔, the street is transformed into a quieter area where one may take a rest on the seats provided. There is a conspicuous feature about the old town, and that is the large number of young people to be seen. The proportion of young people to the rest of the population is unusually high, Marburg boasts 76.200 inhabitants and of these, 14.600 are students.

Leaving the Steinweg behind us, we gaze now upon the oldest part of Marburg, the cradle of the town's regional and historical significance. It was in this quarter, and not up at the castle, that the widowed St. Elisabeth took up her residence 750 years ago when she fled from the Wartburg, accompanied by her confessor, Conrad of Marburg. It was here that she died, after having devoted her few remaining years to the selfless and unceasing care of the poor and sick. She was buried here among those she had served, and a short time later she was declared a saint. In the 13th century the Teutonic Order erected Marburg's finest piece of architecture, the magnificent cathedral which bears her name, over her grave ㉕. Marburg is fortunate to possess a masterpiece of early Gothic architecture in this church. It took the master builders 50 years to build the main body and another 50 years to construct the towers. Only then was this outstanding church completed, and it has withstood the ravages of 700 years remarkably well. The numerous visitors to Marburg can do no better than to immerse themselves in this "poetry in stone". The clarity of form is impressive, equally

admirable is the solidity of the church's construction which has withstood the test of centuries. The sandstone used in its construction and quarried in the Lahn hills has proved its strength and its worth. The high quality of the stone is particularly apparent in the tympanum of the main portal where the stone-masons have carved the Madonna, the angels and the vine and rose foliage in exquisite detail ㉖.

The ironwork and the mighty lion-headed door knockers on the two large entrance doors are further proof of the ability of the master craftsmen entrusted with the building of the church by the Teutonic Order. On entering the main body of the church, one is immediately impressed by their achievement ㉗. The lofty vaults are supported by pillars, and the effect produced is one of weights and tensions in perfect balance. Raising our eyes above the chancel screen, we see the choir suffused with light filtering through the stained glass windows. One of these, the medaillon window ㉘, shows in detail St. Elisabeth caring for the sick. The high altar elaborately carved in sandstone and the golden shrine of St. Elisabeth ㉙, a work of the school of the Master of Verdun (1235–1250) which is on display in the sacristy, are visible proof of the skill and artistry of all who took part in the building of the church 750 years ago.

The ascent of the southern church tower to the belfrey was undertaken by our photographer in order to gain a splendid view of Marburg's castle hill ㉚. From this vantage point we can see the Steinweg, then to the right the Roter Graben (Red Moat) and the observatory at the Dörnberger Hof beside the Renthof, above it all towers the castle. Our way now leads in a different direction, through the Biegenviertel where many of the modern university buildings ㉛ are situated due to lack of space in the old town. It is a pity that the university auditorium and administrative building impede a clear view of the steeply ascending castle hill.

Let us proceed to the Rudolphsplatz (Rudolph Square), the spot where this hillside town descends to meet the Lahn. This cornerstone of the old town radiates dignity and strength through the majestic Aula given to the old university when the Electorate of Hesse was annexed by Prussia. This old church, situated high on the cliff and rising above the huddle of tradesmens' houses and the old brewery, was all that remained of the old Dominican monastery that once stood upon this spot ③ .

Ever since the middle ages, the old Herrenmühle ③ (Manorial Mill) has stood at this junction where river and cliff converge. The mill did not escape damage over the centuries, but this historic witness to Marburg's past is now to be preserved for future generations. The plaque on the elaborate gable informs us in Latin and German how Master Baldewein rebuilt the mill at the end of the 16th century. In the early stages of Marburg's development there was a ford there which led to the entrance of the town, this was later replaced by a bridge over the Lahn.

Before we cross over to Weidenhausen on the other side of the Lahn, let us make a quick detour to the Südviertel (South Suburb) which became a residential area after 1870 when the rapid development of the town caused the population to rise rapidly from 15,000 to 25,000. This area was once open pasture land bordered by long avenues of lime trees where today the Frankfurter Straße (Frankfurt Street) and Schwanallee (Swan Avenue) run. The old lime trees have now been replaced by more exotic trees, acacia, ginko biloba, the sacred tree of India and the Japanese cherry ③ which blooms in exotic profusion.

Let us go over to the left bank of the Lahn which offers an uninterrupted view of the castle hill ③ . Cafés and restaurants have established themselves along the old medieval city walls, but these are dwarfed by the ancient buildings which still dominate the skyline: the town hall, the Luther Church, the old chancellery and the great castle itself. If we pass through Weidenhausen where restoration work has uncovered a number of fine timber-framed houses, we eventually reach St. Jost with its former hospital chapel, and then we find ourselves completely surrounded by the present with all traces of the past left behind us. The arts faculty and the university library have been established in modern buildings, and these cubes

of concrete, steel and glass are commonly referred to as Marburg's "elephant feet" ③ .

Visible in the background are the Lahn hills where in the course of the past 20 years the medical ③ and science faculties have been installed on a large scale. They now lie just outside the town where Papin invented the steam engine, Bunsen the Bunsen burner and Emil von Behring serum therapy. This little town never ceases to surprise one. Photograph no. ③ shows modern hot air balloons floating over the town, recalling the days when the geographer Alfred Wegener, famous for his continental drift theory, used to ascend in his balloon "Marburg".

The countryside surrounding Marburg is a delight to the eye. Whenever one accompanies visitors from overpopulated big cities over the hills and through the woods to such beauty spots as Dammühle ③ , Michelbach ④ , or to the Frauenberg (Ladies' Hill) to name but a few, one is pleased and proud to hear the guests remark time and time again "Oh how lucky you are to live in Marburg".

In the words of the old song:
Oh I'm a poor old fellow
whom time has made mellow.
Oh I'm longing to find rest
where once I was so bless'd.
I see Marburg silent in the gloaming,
for that old abode I'll cease my roaming.
Oh Marburg, my heart greets you in praise,
Oh Marburg, home of the good old days!

La Ville Universitaire de Marburg

Depuis le 16ème siècle les tableaux de villes reproduisent non seulement des paysages donnés et des édifices célèbres mais expriment également certaines formes artistiques (gravures sur cuivre, gravures sur bois, dessins) qui jouissent d'une popularité croissante et contribuent considérablement à la connaissance des villes. La physionomie attirante de la ville de Marburg a toujours donné lieu à des représentations nouvelles à l'aide desquelles on peut suivre aujourd'hui le développement de la ville. Dans l'article d'Ekkehard Schenk zu Schweinsberg (Histoire de la Ville de Marburg de Dettmering-Grenz, 1980), on peut lire: «Le tableau de la ville de Wilhelm Dilich (1571–1650) est la reproduction originale de Marburg à l'époque baroque». Et 30 ans plus tard le célèbre artiste de Francfort Matthaeus Merian d. Ä. (1593 Bâle – 1650 Schwalbach) résume les différentes reproductions de Marburg par sa gravure sur cuivre ❷ qui met en valeur d'une façon marquante cette vieille ville bâtie sur la colline et dominée par son château.

Nous constatons alors que le coeur de Marburg, comme miraculeusement, est aujourd'hui le même que celui du 13ème siècle. Comme autrefois la cité médiévale est blottie sur le versant de la colline du château, comme autrefois des clochers et quelques édifices célèbres s'élèvent au-dessus d'une multitude de petites maisons bourgeoises qui rappellent le caractère résidentiel d'origine de la ville. Des collines de la Lahn (Lahnberge), en face de Marburg, s'offre au photogrape comme il y a 350 à 400 ans au dessinateur, une vue générale du Vieux Marburg ❸. C'est Marburg-sur-Lahn, à vrai dire au-dessus de la Lahn, seuls la rue «Am Grün» ❹ et le faubourg de Weidenhausen se trouvant au bord du fleuve. C'est là qu'au Moyen-Age on a utilisé le fleuve pour une

activité artisanale particulière: des tanneurs y préparaient du cuir à partir de peaux. La poterie était aussi une activité artisanale typique à Marburg.

Le Vieux Marburg au-dessus de la Lahn est une ville bâtie sur la colline. De la place Rudolph on peut observer l'entassement des maisons sur le versant jusqu'au château ❺. Le centre de la ville n'est donc pas approprié à la circulation moderne mais reste ainsi pour beaucoup un cadre idyllique. Et toujours et encore l'impressionnante silhouette du vieux château du Landgrave, harmonieusement bâti, qui domine la ville!

Le versant de la colline rend impossible la construction de rues directes de bas en haut. Il est donc recommandé de laisser sa voiture en bas. A quoi bon, il faut aller à pied, souvent monter des escaliers. De la vallée jusqu'à la terrasse du château il y a 430 marches. Mais nulle crainte, nous pouvons également emprunter les ruelles en pente: Lahntor/Reitgasse/Marktgasse/Markt/Landgraf-Philipp-Straße. Le chemin passe par la Place du Marché médiévale avec son vieil Hôtel de Ville dont la construction représente la césure entre le Moyen-Age et les Temps Modernes (Post-Réforme) ❻. Là on s'assoit (c'est-à-dire la jeunesse) à son aise. Sur l'escalier de la tour du vieil Hôtel de Ville nous pouvons voir Sainte Elisabeth, à qui nous devons tout. Ne serait-elle pas venue à Marburg, alors veuve du Landgrave de la Wartburg, et ne serait-elle pas restée là après sa mort, les habitants de Marburg n'auraient certainement pas pu faire construire un Hôtel de Ville d'une telle splendeur. Mais regardons de plus près le bas-relief d'Elisabeth ❼: Cet artiste marbourgeois auquel nous devons de nombreux autels sculptés de l'église Ste Elisabeth et qui avait déjà révélé son talent à Kalkar, Ludwig Juppe, nous montre la grande sainte de Marburg protégeant l'écusson de la ville dans ses mains.

Une fois par an, le premier dimanche de juillet, la ville est toute entière une ville de la jeunesse: à l'occasion de la »Chope du matin» sur la Place du Marché ❽. Non seulement les jeunes s'y trouvent rassemblés, mais aussi un grand nombre d'anciens étudiants de Marburg et habitants chez lesquels ils ont alors logés se rencontrent là pour boire et chanter et ils sont joyeux. En arrière-plan on aperçoit le pignon de l'Hôtel de Ville avec ses richesses du 16ème siècle: le jeu de l'horloge dont, à chaque heure, le coq bat des ailes, le gardien souffle dans le cor, la mort tourne son sablier et Justitia remue la balance pour nous montrer que la justice n'est pas encore endormie. Et une boule or et noir nous indique si c'est le jour ou la nuit.

Autour de nous toutes sortes de maisons intéressantes, mais nous voulons monter au château ❾. Il y a exactement 100 mètres de différence de hauteur entre la vallée (180 m au-dessus du niveau de la mer) et la terrasse du château (280 m). Là où autrefois le pont-levis conduisait à la cour extérieure du château, d'abondantes bordures de fleurs nous accueillent et nous voyons tout de suite à gauche les écuries (aujourd'hui résidence des étudiants boursiers), derrière la grande salle et à droite l'aile ouest, autrefois habitations de la cour. A l'intérieur l'éclat résidentiel a disparu depuis longtemps. Le mobilier et les décorations princières ont été transportés à Kassel par les landgraves de Kassel. Le château de Marburg a servi de forteresse, caserne, hôpital militaire et même de prison au siècle dernier. Après l'annexion de l'Electorat de Hesse par la Prusse, les dégâts ont été réparés et les importantes Archives d'Etat furent conservées dans les grandes salles du château jusqu'à ce qu'un bâtiment moderne approprié soit construit dans le quartier sud de Marburg. Après la 2ème guerre mondiale la puissance américaine occupante transmis la propriété du château à l'université qui y abrita sa collection d'histoire de la religion. Quand cette collection fut transférée dans les bâtiments de l'ancienne Chancellerie, le château fut transformé peu à peu en musée d'histoire de la civilisation. Mais les salles vides sont d'un intérêt considérable en raison de leur architecture à laquelle les maîtres constructeurs de l'église Ste Elisabeth ont contribué. Non seulement la magnifique Salle des Chevaliers mais aussi la Chapelle du château ⓫ séduisent: une salle de culte d'un caractère particulier, sur un plan horizontal symétrique à l'est et à l'ouest, est née.

Et n'oublions pas le tableau du célèbre Christophorus de Marburg! De plus le château a servi de cadre aux entretiens religieux de 1529. Philippe le Magnanime, craignant la division du groupe protestant, avait alors invité Luther, Zwingli et leurs partisans pour tenter d'accorder leurs convictions divergentes. Le Landgrave Philippe n'atteignit pas entièrement son but, il est vrai; la séparation entre luthériens et réformistes subsista car ils n'étaient pas d'accord sur la célébration de la sainte cène, mais nous lisons dans la salle commémorative des entretiens religieux ❿ le protocole final avec sa belle promesse solennelle: «Si nous ne… sommes pas entièrement tombés d'accord… nous devons cependant nous respecter et nous honorer mutuellement». Le tableau monumental du peintre de la cour, Noack, nous donne un portrait très vivant des participants à ces entretiens dans la Salle des Chevaliers. Aussi nous savons maintenant qu'ils ne se sont pas rencontrés dans la grande Salle des Chevaliers mais dans le petit cabinet particulier du Landgrave.

Le panorama de la terrasse du château sur l'autre rive du fleuve, sur les collines de la Lahn ⓬, desquelles Merian nous laissa contempler le Vieux Marburg, fait disparaître entièrement la vieille ville en-dessous de nous; seul le clocher de la vieille église paroissiale de la ville (église Luther), édifiée du 13ème au 15ème siècle, s'élève en face de nous. Son clocher incliné frappe à l'oeil. A-t-il été construit ainsi pour faire face au vent soufflant principalement du sud, comme le pensent certains, ou le soleil du sud l'a-t-il ainsi incliné, comme le disent d'autres? Toujours est-il que la vue de la colline du château au nouveau quartier de Richtsberg nous offre des motifs d'une grande diversité: ce sont deux mondes différents.

Mais retournons dans le Vieux Marburg et balladons nous tranquillement dans les étroites ruelles: nous arrivons à nouveau en haut de la Place du Marché ⓭. Nous constatons avec plaisir qu'au cours des dernières années le crépi de nombreuses vieilles maisons a disparu, sous lequel on voulait cacher les poutres à colombage car on croyait qu'elles donnaient un air trop ‹rustique›. Beaucoup de maisons à colombage ont heureusement retrouvé leur éclat lors d'une importante action d'assainissement.

Un solide bâtiment en pierre, comme en fit construire le riche marbourgeois Hermann Schwan vers 1528 (nommé aujourd'hui par erreur Maison des Mariages) ⑮ témoigne de la richesse de son propriétaire; cependant les vieilles maisons à colombage qui sont maintenant restaurées, pour la plupart du 16ème et 17ème siècle, agrémentent tout autant le cadre de la ville médiévale. La rue dite »Barfüßerstraße« ⑭ fut ainsi nommée car elle conduit à l'unique cloître franciscain = cloître des nus-pieds. Dans cette rue la vitesse des voitures a été ralentie par la mise en place de bacs à fleurs en béton. Les piétons ont donc retrouvé leurs privilèges et peuvent admirer les intéressantes façades des maisons en toute tranquillité. Divers détails n'échapperont pas à l'observateur attentif: où Martin Luther résida, où les frères Grimm élurent domicile lorsqu'ils étudièrent à Marburg. Dans les pavés (entre les maisons n°28 et n°30) on discerne la marque de l'ancienne porte de la ville avant l'élévation du mur d'enceinte plus à l'extérieur. Les ruelles secondaires sont étroites et raides; le terrain en pente de Marburg ne permettant pas la construction de rues directes, il faut grimper, souvent des escaliers. Nous arrivons ainsi à la ruelle Augustine ⑯, autrefois siège du couvent des religieuses d'Asfeld, plus tard résidence de riches citoyens. Les travaux de restauration ont mis à découvert des maisons à colombage splendides. Le colombage marbourgeois est caractérisé ici par un travail de charpentier solide ⑰. Une fontaine moderne de Rudolf Trautmann, Marburg, se prête harmonieusement au cadre.

Au sein de la vieille ville, c'est-à-dire au-dessous (Untergasse et Hofstatt) et au-dessus (Rübenstein) de la rue Barfüßer, nous continuons à voir un grand nombre de maisons à colombage très bien restaurées, comme le montre la photo ⑱ de la magnifique maison de coin Hirschberg 13 ou dans la Hofstatt ⑲ + ⑳ . A chaque fois nous devons monter et descendre des escaliers, comme il est habituel et surtout nécessaire à Marburg. Celui qui en est incommodé peut prendre au retour la seule rue transversale, la Wettergasse ㉑; cette rue n'est pas vraiment platte, mais sans escaliers et pour Marburg très praticable, d'autant plus qu'elle est devenue rue piétonnière et qu'on peut s'y asseoir à son aise. Des plaques commémoratives nous arrêtent encore: A gauche, Wettergasse n° 12 vécu autrefois Wilhelm Liebknecht (1826–1900), père de Karl Liebknecht (fusillé en 1918); en face le poète du chant de la Weser, plus tard directeur du théâtre Burg à Vienne, Franz Dingelstadt (1814–1881), tous les deux anciens étudiants marbourgeois «au bon vieux temps». Quelques maisons plus loin, au n° 16 on peut lire: «Ici habita Ernst Höfling, auteur du chant ‹O bon vieux temps étudiant›». Ainsi peut-on faire parler les maisons de Marburg...

Wettergasse n° 16 nous voyons à nouveau des ruelles secondaires avec des escaliers étroits vers le haut et vers le bas. En montant, la Wettergasse nous conduit jusqu'à la dite ligne de partage des eaux, puis elle redescend vers la Neustadt, la nouvelle ville de 1260! Nous sommes donc encore dans la vieille ville, même s'il n'y a plus aucune vieille maison car un grand incendie détruisit la dénommée «Schusterturkei» (quartier des cordonniers) il y a 140 ans. Après la Neustadt n° 26, la rue continue vers le bas sous le nom de «Steinweg» (chemin de pierre), rue reliant le haut de la ville au royaume d'Elisabeth, au pays de l'Ordre Teutonique. La rue s'élargit tout à coup et se divise en trois étages. En haut la Steinweg proprement dite, en bas «das Loch» (le trou) et entre les deux «die Plantage» (la plantation), renforcée des deux côtés par un mur. C'est à cet endroit qu'a lieu le marché aux puces chaque premier samedi du mois. La photo ㉒ nous montre l'animation qui y règne: En haut on aperçoit la Steinweg là où la rue à trois parties commence en même temps que se termine la zone piétonne. Dans le «trou» on trouve encore aujourd'hui une poterie où sont fait à la main les vrais «Dibbchen» marbourgeois (petits pots), dernier souvenir d'un passé lucratif... Par contre le marché aux puces prend de plus en plus d'ampleur; jusqu'en bas, où la fontaine des moines ㉓ ferme ‹la plantation› un grand choix de brocante est offert aux visiteurs. Et à l'endroit où se termine la Steinweg ㉔, on dispose d'une agréable place assise. Et partout des jeunes: le rapport en est frappant; Marburg a 76200 habitants dont 14600 étudiants!

Quittant enfin la Steinweg, nous nous trouvons devant le plus vieux quartier de Marburg, là où la ville est née. C'est à cet endroit, en dehors de l'enceinte de la ville, que s'installa il y a plus de 750 ans Elisabeth, la veuve du Landgrave qui s'était enfuie de la Wartburg et que son confesseur Conrad de Marburg avait conduite ici. Elle y mourut après quelques années de sacrifices, y fut enterrée et y fut canonisée peu de temps après. Au 13ème siècle les Frères de l'Ordre Teutonique firent construire sur sa tombe la magnifique cathédrale, l'église Ste Elisabeth ❷❺, le plus somptueux édifice de Marburg. Oui, la ville de Marburg est reconnaissante et heureuse de posséder ce chef-d'oeuvre de style gothique primitif. Sa première pierre fut posée en 1235. Il fallut 50 ans pour bâtir la nef, 50 autres années pour exécuter les clochers: cette belle et unique église était alors achevée et elle a merveilleusement survécu à ses 700 ans. Les admirateurs de ce chef-d'oeuvre sont nombreux. Chaque visiteur éprouve le besoin de pénétrer et se recueillir dans ce ‹poème de pierre›. La grande simplicité des formes et la solidité de la construction qui ont permis à cette église de supporter les siècles la rendent impressionnante. Le grès de Marburg – ses carrières se situent de l'autre côté des collines de la Lahn – s'est avéré très solide. Sur le tympan du portail principal ❷❻ où les tailleurs de pierre ont travaillé avec précision, les magnifiques sculptures de la madone, des anges, des feuilles de vigne et de rosier témoignent de la qualité de la pierre. Les serrures en fer et les deux heurtoirs à tête de lion aux deux battants de la porte révèlent également la perfection de l'édifice que fit réaliser l'Ordre Teutonique au 13ème siècle. L'entrée dans la nef souligne ❷❼ encore le grande maîtrise artistique de celui qui l'a créée. Quelle harmonie! Quelle sublimité! Quelle beauté éclatante du Moyen-Age! Les hautes voûtes sont retenues par les piliers, poids et tensions s'équilibrent. Derrière le jubé (14ème siècle) nous apercevons le coeur principal: la lumière y pénètre par les vitraux dont un représente (vitrail en forme de

médaillon) ❷❽ Elisabeth au chevet d'un malade. Le maître-autel, sculpté dans le grès avec une grande adresse et surtout le reliquaire en or d'Elisabeth ❷❾ de l'école du maître de Verdun (1235–1250) exposé dans la sacristie met en évidence, une fois encore, la grande maîtrise de ceux qui ont contribué à la construction de l'église Ste Elisabeth il y a 700–750 ans. Maintenant le photographe est monté au clocher sud de l'église pour avoir une vue sur la colline du château ❸❿. On distingue à nouveau la Steinweg, à droite le Fossé Rouge (Roten Graben), l'observatoire sur l'ancienne Dörnberger Hof dans la ruc «am Renthof», le tout couronné par le château.

Mais nous voulons traverser le quartier Biegen, là où l'université s'est de plus en plus étendue de sorte que la vue sur la colline est cachée par les nouveaux bâtiments de l'amphi-théâtre et de l'administration universitaire ❸❶. Continuons donc aussitôt jusqu'à la place Rudolph où la ville rejoint la Lahn. L'Aula de la vieille université ❸❷ située à ce pilier d'angle de la vieille ville et lui donnant une expression bien structurée nous fut offerte à l'annexion de l'Electorat de Hesse à la Prusse de Bismarck. De l'ancien presbytère dominicain, seule la vieille église a donc subsisté. Bâtie sur de hauts rochers, elle s'élève majestueusement du groupe de maisons de petite bourgeoisie et de la brasserie. Là où fleuve et colline se heurtent, le «Moulin des Seigneurs» ❸❸ avait déjà trouvé sa place au Moyen-Age. La construction d'origine a malheureusement subi de nombreux changements au cours des siècles mais elle est devenue récemment un monument digne d'intérêt; la plaque sur le front nous indique – en latin et en allemand – comment Maître Baldewein restaura le moulin à la fin du 16ème siècle. A une époque très avancée on entrait déjà dans Marburg par un gué, puis par un pont sur la Lahn. Avant d'aller à Weidenhausen, de l'autre côté de la Lahn, faisons encore un détour dans le quartier du sud qui devint quartier résidentiel après 1870 lorsque la ville en expansion passa de 15000 à 25000 habitants. Jadis des allées de tilleuls le long de la Frankfurter Straße (rue de Francfort) et de la Schwanallee (allée des cygnes) bordaient cet espace encore à l'état de prairie; aujourd'hui des acacias, le gingko biloba, l'arbre saint des Indes et comme sur la photo ㉞ des cerisiers japonais peuvent déployer les beautés de leur nature.

Mais allons sur la rive gauche de la Lahn d'où nous avons une vue libre sur la colline du château ㉟ . Cafés et restaurants avec leurs terrasses empiétant sur le mur d'enceinte se sont installés autour de la ville médiévale; admirons tout de même le panorama d'où émergent les vieux édifices tels qu'Hôtel de Ville, église paroissiale, ancienne chancellerie et château. Si nous parcourons Weidenhausen où les restaurations ont, comme par magie, fait renaître de nombreuses vieilles maisons à colombage et si nous atteignons la chapelle Siechen du quartier St Jost, nous ne sommes plus entourés que du présent: la faculté de philosophie et la bibliothèque universitaire y sont établies ㊱ . C'est un signe des temps. Et dans le langage populaire on a bien raison de dénommer ces dés de béton-verre-aluminium «pattes d'éléphant». En arrière-plan on aperçoit aussi les collines de la Lahn sur lesquelles les facultés de Sciences Naturelles et de Médicine ㊲ se sont installées à grande échelle depuis 20 ans, à la périphérie de la ville dans laquelle Papin inventa la machine à vapeur, Bunsen le bec Bunsen et Emil v. Behring la thérapie par sérum. Il y a beaucoup de choses étonnantes à raconter sur cette vieille petite ville. Par exemple lorsque nous voyons des montgolfières planer dans l'air ㊳ , comme autrefois Alfred Wegener dirigea, au même endroit, la montgolfière ‹Marburg›.

Les environs de Marburg sont aussi très pittoresques! Si on accompagne des visiteurs venant de grandes villes surpeuplées de l'autre côté de la colline à travers la forêt jusqu'à Dammühle ㊴ , au Michelbach ㊵ , au Marbach, au Frauenberg (colline des femmes) avec son magnifique panorama des ruines du château fort – pour ne citer que ces endroits tranquilles aux abords de la ville – on ne manquera pas de les entendre dire: ‹Comme vous avez de la chance à Marburg›!

Et si je suis un vieux garçon,
Et que le temps blanchit mon front,
Une fois encore je cherche le lieu,
Où j'étais autrefois heureux.
Je me penche, silencieux, vers le vieux nid
Et agite alors mon chapeau, comme rajeuni,
Dans cette chanson en est vrai le refrain:
O Vieux Marburg, comme je t'aime bien.

Aus Marburgs Geschichte

1845	Der Historiker Heinrich v. Sybel (1817–1895) wird Professor in Marburg, Pour le mérite.
1846	Wilhelm Liebknecht studiert; sein Sohn Karl (1871–1919) war Redakteur in Marburg.
1847	Adolph Menzel macht Vorstudien zum Bild „Sophie von Brabant und Heinrich". 6. 10.: Geburt des Bildhauers Adolf Hildebrand. Pour le mérite, geadelt.
1850	Ernst Ludwig Ranke (1814–1885) (Bruder Leopolds) wird Prof. theol.
1854	Promotion von Konrad Duden (1829–1911).
1857	Promotion von Carl Claus (1835–1899), 1863 Prof., Schöpfer der wissenschaftlichen Zoologie Österreichs – 7500 Einwohner.
1864	Letzte Hinrichtung mit dem Schwert auf dem Rabenstein am 14. 10.
1866	7718 Einwohner in 781 Häusern, 51 Professoren, 264 Studenten. Marburg wird preußisch.
1867	Maler Otto Ubbelohde am 5. 1. geboren.
1868	20. 4.: Ferdinand Braun stud. phil., 1877 Prof., Pionier der Funktechnik, Nobelpreisträger. 30. 7.: Tod von Prof. August Vilmar.
1872-79	und 1887-91: Neubau der Universität am Lahntor 3 mit Aula.
1873	Ludwig Enneccerus wird Prof. jur. (bis 1921).
1879	Wilhelm Herrmann, Prof. theol. bis 1932. Prof. Georg Wenker begründet den „Deutschen Sprachatlas" – 10122 Einwohner.
1880	Paul Natorp kommt nach Marburg.
1884	Max Hermann Bauer, Edelstein-Kenner von Weltruf, Direktor des Mineralog.-Instituts – 11500 Einwohner, 925 Studenten.
1885	6. 4.: Julius Wellhausen (1884–1918) wird Prof. theol., Orientalist, Pour le mérite.
1886	Adolf Harnack wird Prof. theol., Kirchenhistoriker, Kulturpolitiker. Pour le mérite
1895	Albrecht Kossel (1853–1927) wird Professor der Hygiene und Direktor des Physiologischen Instituts, Nobelpreisträger 1910. 8. 4.: Emil Behring wird Direktor des Hygienischen Instituts (bis 1917). Dichterin Ina Seidel in Marburg bis 1897.
1897	13. 7.: Immatrikulation des 1000. Studenten. Otto Hahn stud. phil. in Marburg, Begründer des Atomzeitalters, Nobelpreisträger.
1900	11. 2.: Als Sohn des berühmten pharmazeutischen Chemikers Joh. Gadamar wird Hans Georg geboren, Prof. der Philosophie. Pour le mérite.
1901	30. 10.: Emil von Behring wird 1. Nobelpreisträger und 1. Arzt der ganzen Welt, der den Nobelpreis erhielt. – 17518 Einwohner.
1903	Gottfried Benn stud. phil. et theol. in Marburg. Dichter und Arzt (1886–1956).
1904	Gründung der E. v. Behring-Werke zur Herstellung von Seren und Impfstoffen am 7. 11.
1907	Ernst Reuter (1889–1953) stud. phil. bis 1911, MdR., Bürgermeister von Berlin. Ferdinand Sauerbruch (1889–1953) wird Priv.-Doz. der Chirurgie.
1909	2134 Studierende, darunter die Dichterin Gertrud von Le Fort und Luise Berthold, später die 1. habilitierte Frau und die 1. Professorin der Philipps-Universität. 8. 5.: Habilitation von Alfred Wegener (Grönlandforscher), Prof. 1916–1919. Weltberühmter Schöpfer der Kontinentalverschiebungs-Theorie. 2. 9.: Tod des „Pioniers der Marburger Geschichtsforschung« Dr. phil. h. c. Wilhelm Bücking (geb. 20. 12. 1818 Marburg).
1910	José Ortega y Gasset stud. phil. in Marburg. Karl Ziegler (1898–1973) kommt nach Marburg (Nobelpreisträger für Chemie 1963). Pour le mérite. 3. 8. 1920 Dr. phil., 18. 12. 23. Priv.-Doz.
1912	Habilitation von Rudolf Bultmann (1887–1976) (Pour le mérite), 1921 Prof. theol. Werner Bergengruen, Schwiegersohn des Mathematikers Prof. Kurt Hensels, stud. phil. in Marburg (Pour le mérite), Dichter. Boris Pasternak (1890–1960) stud. phil. in Marburg (Nobelpreisträger).
1913	begründet der erste Marburger Ordinarius für Kunstgeschichte, Richard Hamann „Foto-Marburg", das heute größte Kunst-Foto-Archiv der Welt. Mit seinen über 500000 Aufnahmen dokumentiert es nicht nur vorhandene Kunstschätze, es hat auch nach den Zerstörungen des 2. Weltkrieges manche Wiederherstellung erst möglich gemacht.
1914	Thomas Stearns Eliot (1888–1965) Schriftsteller in Marburg (Nobelpreisträger).
1917	Gründung der Studienanstalt und Hochschulbücherei für blinde Studierende.
1919	3906 Studierende. Zwei-Zwischensemester.
1920	Romanist Ernst Robert Curtius (1886–1956) wird Professor (Pour le mérite).
1921	Berühmt gewordene Marburger Studenten: Adolf Butenandt (geb. 24. 3. 1903) (Pour le mérite, Nobelpreis für Chemie). Gustav Heinemann (ehem. Bundespräsident), Ernst Lemmer (1898–1969) (jüngster MdR, MdB, Bundesminister). Wilhelm Röpke (Prof., Nationalökonom),

Percy Ernst Schramm (1894–1971) (Geschichts-professor, Pour le mérite).

Adolf Reichwein (1898–1944) (Professor, Widerstandskämpfer).

1923 Martin Heidegger (1889–1976) wird Professor der Philosophie in Marburg (bis 1928).

1926 Der weltberühmte Psychiater Ernst Kretschmer (1888–1964) wird Direktor der Marburger Klinik.

1927 400jähriges Jubiläum der Philipps-Universität: Übergabe des Museums (Ernst v. Hülsen-Haus), HNO-Klinik, Kinder-Klinik.

1929 Marburg wird am 1. 4. kreisfreie Stadt.

1931 4387 Studierende (= Höchststand zwischen 1919 und 1939). 26500 Einwohner.

1934 Vizekanzler Franz v. Papen hält seine berühmte „Marburger Rede" am 17. 6.

1937 Dichterin M. L. Kaschnitz zieht nach Marburg (Pour le mérite). Gatte wird Professor für Archäologie in Marburg.

1944 Erster Luftangriff auf Marburg am 22. 2.

1945 Kampflose Übergabe der Stadt am 28. 3. 25. 9.: Wiedereröffnung der Philipps-Universität. 46134 Einwohner, davon über 10000 Flüchtlinge.

1946 Särge der Preußenkönige Friedr. Wilh. I und Friedrich II. des Großen und P. von Hindenburgs kommen in die St. Elisabeth-Kirche. Prof. Wilh. Walcher, „Vater der Marburger Kernphysik", wird Direktor des Physikalischen Instituts.

1949 Tod von Prof. Dr. med. K. Justi, dem Erforscher der Baugeschichte des Marburger Schlosses (20. 3.).

1950 Tod des Kurators Ernst v. Hülsen, Ehrenbürger, Ehrensenator (1. 1.).

1952 Epidemische Kinderlähmung (1 Todesfall).

1954 Abriß des „Alten Ritters", Markt 10.

1955 Einweihung der Emil von Behring-Schule.

1957 Einweihung der neuen Elisabeth-Schule.

1958 1. erfolgreiche Operation am offenen Herzen durch Prof. Rudolf Zenker (1903–1984). Kinderpsychiatrische Klinik Prof. H. Stutte (1909–1982).

1961 Hessische Arbeitsgemeinschaft für Gesundheitserziehung. Dr. v. Freytag-Loringhoven. A. Reichwein-Berufsschule fertig.

1963 Beginn des Neubaues eines großzügigen neuen Universitätsviertels auf den Lahnbergen für die naturwissenschaftlichen und medizinischen Fakultäten. – Pauluskirche eingeweiht.

1964 48347 Einwohner, 311 Mitgl. des Lehrkörpers, 8228 Studierende.

Neues Hörsaal-Gebäude. Neue Zahn-Mund-Kiefer-Klinik.

1964-67 Neubau der Universitäts-Hochhäuser an der Lahn für die Geisteswissenschaftlichen Fakultäten und Universitätsbibliothek.

1965 Abriß des Fachwerkhauses Bopp, Reitgasse 14. Institut für Geschichte der Pharmazie (einziges in Deutschland). (Dir. Prof. Dr. R. Schmitz).

1966 Amtliche Bezeichnung der Stadt jetzt „Universitätsstadt Marburg an der Lahn".

1967 Geburt des 50000 Marburgers. Prof. R. Siegert entdeckt den Erreger der „Affenkrankheit" das „Marburg-Virus".

1968 „Marburger Manifest" zur sog. Demokratisierung der Hochschule.

1969 Eröffnung der Stadthalle (Erwin-Piscator-Haus) am 30. 9., Biegenstraße 15. Fertigstellung der Konrad-Adenauer- und Kurt Schumacher-Brücke. 51255 Einwohner, 9047 Studierende. Abriß der Trauben-Apotheke, Reitgasse 15. Partnerschaft mit Marburg an der Drau = Maribor. K. Biesalski-Haus für körperbehinderte Studierende neben dem Kalbstor.

1970 Abriß des historischen „Wirtshauses an der Lahn". Dr. Hanno Drechsler wird Oberbürgermeister.

1972 17.–26. 6.: 12. Hessentag und 750-Jahrfeier der Stadt Marburg. Abbruch „Stadtsäle".

1973 1. Fußgängerzone (Wettergasse) am 8. 11. eröffnet. – Europa-Bad. – Herder-Bibliothek.

1974 1. 7.: Neuer Großkreis Marburg-Biedenkopf, Eingemeindung der Hausdörfer Cappel, Marbach, Wehrda und von Bauerbach, Bortshausen, Cyriaxweimar, Dagobertshausen, Dilschhausen, Elnhausen, Ginseldorf, Gisselberg, Haddamshausen, Hermershausen, Michelbach, Moischt, Ronhausen, Schröck, Wehrshausen, 68922 Einwohner, 124,03 km². Neue Literarische Gesellschaft. Tod von Hermann Schultze, 1. deutscher Professor für Immunchemie. Tod von Prof. R. Theile (geb. 23. 3. 1913) Farbfernseh-Pionier. Stadt-Autobahn fertig. Bundeszentrale der Lebenshilfe für geistig Behinderte eingeweiht.

1975 1. Genetische Poliklinik Deutschlands, Prof. Dr. G. G. Wendt. Kaufhaus Horten eröffnet.

1977 450 Jahre Philipps-Universität.

1979 Nobelpreis Chemie für den ehem. Marburger Student und Prof. Georg Wittig. – „Marburg-Index" von Foto Marburg.

1980 13. 3.: Ausstellung „Stadtgestalt und Denk-
malschutz im Städtebau". Marburg gewann
Silbermedaille für beispielhafte Sanierung.
17. 12.: Geburt des 75000. Marburgers.
Tod von Prof. E. Hückel („Molekular-Theorie").

1981 1. 1.: Neuordnung der hessischen Regierungs-
bezirke – Marburg gehört zu dem neugeschaf-
fenen Regierungsbezirk Mittelhessen (Gießen).
1. 7. Einführung einer verkehrsberuhigten
Zone in der Barfüßerstraße.
13. 9.: Beginn der Feiern zum 750. Todestag
der Hlg. Elisabeth.
18. 11.: Eröffnung des Universitäts-Museums
für Kulturgeschichte im Wilhelmsbau des
Schlosses.
14723 Studierende, 76725 Einwohner.

1982 4. 8.: Einweihung des Sanierungs-Großpro-
jekts Augustinergasse 1 (3,2 Mio DM).

1983 1. 5.: 700. Jahrestag der Weihe der St.
Elisabethkirche.
10.–13. 6.: Stadtteil Bauerbach feiert sein
850jähriges Bestehen.

1984 Tod des Künstlers Erhard Klonk am 4. 3.
Tod von Prof. R. du Mesnil, „Pionier der Me-
dizinischen Strahlenkunde" am 6. 4.
Feierliche Übergabe des neuen Klinikums
Lahnberge (7. 12.).

1985 20. 6: Einweihung der Kaufmännischen Schulen
der Universitätsstadt Marburg.
29. 6.–1. 7.: Erlengrabengesellschaft Weidenhausen feiert ihr 175jähriges Bestehen.
21. 8.: SPD und GRÜNE unterzeichnen das
Koalitionsprogramm.
15. 9.: Prof. Wolfgang Abendroth stirbt im Alter
von 79 Jahren. Er war von 1951 bis 1973 Professor für politische Wissenschaften an der
Philipps-Universität.
4. 10.: Hotel- und Gaststättenkreisverband
Marburg feiert sein 100jähriges Bestehen.

1986 17. 1.: Anläßlich des 200. Geburtstages von
Wilhelm Grimm eröffnet Oberbürgermeister
Dr. Drechsler die Ausstellung »Die Märchen-
welt der Brüder Grimm«.
2. 3.: Marburger Konzertverein feiert sein
200jähriges Bestehen.
25. 4.:Freiwillige Feuerwehr Marburg-Mitte
feiert ihr 125jähriges Bestehen.
16.–20. 5.: Bundestreffen der Deutschen Sport-
jugend in Marburg (3.500 Teilnehmer).
31. 5.–8. 6.: Festwoche anläßlich der 25jährigen
Städtepartnerschaft Marburg-Poitiers.

Dr. W. Kessler

Hinweis: Dr. W. Kessler „Geschichte der Universitätsstadt Marburg in Daten und Stichworten"
erschien 1984 in 2. Auflage mit Schrifttum,
Quellen, Namen- und Sach-Verzeichnis.

From the History of Marburg

1000 B.C.	Barrow graves erected on the Lahnberge.
1140	The "Marburg Pennies" are minted and Marburg becomes a market town.
1222	Landgrave Ludwig IV held court in one of the bigger churches of Marburg. This is the first reference to Marburg as a town.
1228	St. Elisabeth, Landgravine of Thuringia, founded a hospital at Marburg. "It is our duty to make people happy".
1231	On 17th November, St. Elisabeth, daughter of the King of Hungary, died at the age of 24.
1235	Canonization of Elisabeth. On 14th August, the foundation stone of the St. Elisabeth Church was laid.
1236	Kaiser Friedrich visited Marburg. Since 1236 Marburg was one of the most famous and most frequented places of Christian pilgrimage besides Jerusalem, Rome and Santiago di Compostella.
1248	Sophie, daughter of St. Elisabeth and widowed Duchess of Lorraine and Brabant, came to Marburg with her son Heinrich to establish his right of succession and to receive the oath of loyalty from the citizens of Marburg (foundation of the state of Hesse).
1260	The enlargement of the Marburg castle as a fortress and as the residence of the Landgraves of Hesse was undertaken.
1261	Big fire devastates the town.
1283	Consecration of the St. Elisabeth Church (tomb of St. Elisabeth and place of pilgrimage for visitors to it, church of the Teutonic Order, sepulchre of the Landgraves of Hesse).
1291	Construction of the Dominican monastery in the south-east corner of the town fortifications. It was taken over by the new university in 1527.
1311	The town was granted a charter by Ludwig, Bishop of Münster.
1330	The castle's gothic Knights' Hall, one of the largest of its kind in Germany at this period, was completed.
1482	Consecration of the Kugelkirche St. Johannes.
1504	Landgrave Philip the Magnanimous was born.
1512	Beginning of the construction of the town hall which was completed in 1527.
1527	On 30th May, foundation of the first Protestant university. On 1st July, opening of the Philipps-University with 11 professors and 84 students.
1529	From 1st to 4th October religious dispute at Marburg between Luther, Zwingli, Melanchthon, Bucer and others.
1538	Death of the famous sculptor and carver Ludwig Juppe (Jupan), born in Marburg ca. 1460.
1567	Death of Philip on 31st March. Hesse was divided among his four sons.
1593	Death of the court architect Eberdt Baldewein who was responsible for several fine buildings in Marburg which now had a population of ca. 5,100.
1604	The division of Upper Hessen placed Marburg under Hessen-Kassel. The population was by now 5,800.
1648	During the Thirty Years War Marburg lost nearly half its population.
1688	Denis Papin held a chair at Marburg University.
1723	Landgrave Karl offered a chair to the philosopher Christian Wolff who had been expelled from Halle. He lectured at Marburg till 1740.
1736	Michael Lomonossov studied in Marburg until 1739 and married Elisabeth Zilch on 6th June, 1740.
1763	Marburg suffered terribly in the Seven Years War. The castle changed hands seven times and the town no less than fifteen.
1764	Hessian post house established in the inn "Weißes Roß" (White Horse) in the Barfüßergasse, where Goethe stayed overnight in 1779 in the company of Carl August.
1771	Friedrich Creuzer born on 10th March, later professor and holder of the order "Pour le mérite".
1787	Heinrich Jung-Stilling held a chair at Marburg University till 1803.
1788	Sophie von La Roche, famous writer and grandmother of the Brentanos, came to visit her son Franz who studied at Marburg.
1789	Caroline Boehmer, famous Romantic and later wife of Schlegel and then of Schelling, stayed in Marburg with her brother Fritz Michaelis, professor of medicine at the university.

1795	Friedrich Carl von Savigny studied at Marburg and in 1800 he qualified as a lecturer in law. He was a friend of the Grimm Brothers and the Brentanos and taught as a professor at the University of Marburg till 1808.
1798	The poet Dietrich Weintraut was born on 27th August.
1802	Jakob Grimm studied law at Marburg. His brother Wilhelm followed him in 1803.
1803	Marriage of Clemens von Brentano to Sophie Méreau in Marburg.
1806	The poetess Bettina von Brentano left Marburg.
1807	From 1807 to 1813 Marburg belonged to the Kingdom of Westphalia ruled by Jérôme Bonaparte.
1809	Abolition of the Teutonic Order. From that time on, the St. Elisabeth Hospital was a municipal hospital and university clinic.
1826	Eugen Höfling (1808–1888) student of medicine and composer of the famous students' song "O alte Burschenherrlichkeit" lived at No. 16, Wettergasse.
1838	Ludwig Bickell, pioneer in photography, district curator and founder of the Museum of the Early History of Hesse, was born on 13th September.
1839	Robert Bunsen (1811–99) was professor of chemistry at Marburg till 1851. He was holder of the order "Pour le mérite" for art and science.
1845	The historian Heinrich von Sybel (1817–1895) was appointed professor at Marburg.
1846	Wilhelm Liebknecht studied at Marburg. Some years later his son Karl worked as an editor at Marburg.
1847	Adolph Menzel made preliminary sketches for his painting "Sophie of Brabant and Heinrich". Birth of Adolf Hildebrand, famous sculptor and holder of the order "Pour le mérite" on 10th October.
1850	Ernst Ludwig Ranke, brother of Leopold Ranke, became professor of theology (till 1888).
1854	Konrad Duden (1829–1911) was awarded a doctorate (Duden-Dictionary).
1857	A doctorate was bestowed on Carl Claus (1835–99) who established zoology as a scientific discipline in Austria. Marburg's population rose to 7,500.
1864	The last execution by the sword on the Rabenstein on 14th October.

1866	Marburg comes under Prussian rule. Marburg had 781 houses with 7718 inhabitants, 51 professors and 264 students.
1867	The painter Otto Ubbelohde was born on 5th January.
1868	Birth of Ferdinand Braun, pioneer in radio technology and Nobel prizewinner, on 20th April. Death of Professor August Vilmar on 30th July.
1872-79	and 1887–91 New university buildings at the Lahntor including the Aula.
1873	Ludwig Enneccerus became a professor of law (till 1921).
1879	Wilhelm Herrmann, professor of theology until 1932. Marburg's population totals 10,122 inhabitants.
1880	Paul Natorp comes to Marburg.
1884	Max Hermann Bauer, world-famous gem expert, becomes director of the Minerology Institute. Marburg has 11,500 inhabitants and 925 students.
1885	On April 4th Julius Wellhausen (1844–1918), oriental specialist and holder of the "Pour le mérite" order, was appointed professor of theology.
1886	The church historian Adolf Harnack became professor of theology.
1895	Albrecht Kossel became professor of hygiene and director of the Physiology Institute. Nobel Prize 1910. On April 8th Emil Behring (1853–1927) was appointed director of the hygiene institute (until 1917). The poetess Ina Seidel in Marburg until 1897.
1897	Immatriculation of the 1000th student on July 13th. Otto Hahn, student in Marburg, founder of the atomic age, Nobel Prize recipient.
1900	Hans Georg Gadamar, son of the famous pharmaceutical chemist Johann Gadamar, was born on 11th February. He later became professor of philosophy and holder of the "Pour le mérite" order.
1903	Gottfried Benn (1886–1956), student of philosophy and theology, in Marburg (doctor and poet).
1904	Foundation of the E. v. Behring Company for the production of sera for inoculations, on November 7th.
1907	Ernst Reuter (1889–1953), student until 1911, representative in the German parliament, mayor of Berlin. Ferdinand Sauerbruch, surgeon, was appointed university lecturer.

1909	2134 students, among whom are the poetess Gertrud von Le Fort and Luise Berthold, later the first woman inaugurated as university lecturer and the first female professor at the Philipps-University. May 8th: Inauguration of Alfred Wegener, famous Greenland explorer and developer of the continental drift theory. Professor in Marburg from 1916–19.	1929	On April 1st the town of Marburg was declared an independent administrative district.
		1931	4,387 students (largest number between 1919 and 1939). 26,500 inhabitants.
		1934	Vice-chancellor Franz v. Papen holds his famous "Marburg Speech" on June 17th.
1910	José Ortega y Gasset, student in Marburg. Karl Ziegler (1898–1973) comes to Marburg. (Awarded the "Pour le mérite" order and in 1963 the Nobel Prize for chemistry).	1937	Poetess M. L. Kaschnitz moves to Marburg ("Pour le mérite"). Gatte is appointed professor of archaeology in Marburg.
		1944	Air attacks on Marburg on February 22nd.
1912	Inauguration of Rudolf Bultmann (1887–1976) as university lecturer ("Pour le mérite"). Werner Bergengruen, son-in-law of Prof. Kurt Hensel, the famous mathematician, in Marburg. Boris Pasternak (1890–1960), student in Marburg (Nobel Prize recipient).	1945	Peaceful surrender of the city on September 25th. Re-opening of the university. Marburg's population totals 46,134. Of these over 10,000 are refugees.
		1946	The remains of P. von Hindenburg as well as those of the two Prussian kings, Friedrich Wilhelm I and Friedrich II (the Great) were laid to rest in the St. Elisabeth Church. Professor Wilhelm Walcher, founding father of nuclear physics in Marburg is appointed director of the institute for physics.
1913	The first Marburg professor for art history, Richard Hamann, founded "Foto-Marburg", today the world's largest art-photo archive. With more than 500,000 photos it documents not only existing art treasures but also made possible the reconstruction of some destroyed during World War II.		
		1949	Death of Dr. K. Justi, professor of medicine, who was an expert in the architectural history of Marburg's castle. (20th March).
1914	Thomas Stearns Eliot (1888–1965) in Marburg (winner of the Nobel Prize for literature).	1950	Death of the curator Ernst von Hülsen, honorary citizen and honorary senator on 1st November.
1917	Founding of the study center and advanced-studies library for blind students.		
1909	3,906 students.	1952	Polio epidemic.
1920	Ernst Robert Curtius (1886–1956) appointed professor of Romance languages ("Pour le mérite").	1954	The building known as the "Old Knight", No. 10, Market Square, was pulled down.
		1955	Opening of the Emil von Behring school.
1921	Marburg students who became famous: Adolf Butenandt, born 24th March, 1903 ("Pour le mérite", Nobel Prize in chemistry). Ernst Lemmer, 1898–1969, (youngest representative in the Reichstag, Bundestag representative, cabinet minister). Percy Ernst Schramm, 1894–1971, (history professor, "Pour le mérite"). Adolf Reichwein, 1898–1944, (professor, member of resistance against Hitler).	1957	Opening of the new St. Elisabeth school.
		1958	First successful open heart surgery carried out by Professor Rudolf Zenker (1903–1984). Professor H. Stuute (1909–1982) takes over the psychiatric clinic for children.
		1961	The Hessian Working Group for Health Education is established in Marburg. The Adolf Reichwein vocational school is completed.
1923	Martin Heidegger appointed professor of philosophy.	1963	The construction of new quarters for the faculties of medicine and natural sciences on the Lahn hills is undertaken. St. Paul's Church is consecrated.
1926	The famous psychiatrist, Ernst Kretschmer (1888–1964) is appointed director of the Marburg clinic.		
1927	400th anniversary of the university; transfer of the museum (Ernst v. Hülsen-Haus). Opening of the Throat, Nose, Ear Clinic and of the infant hospital.	1964-67	New buildings to house the humanities and the university library are erected along the Lahn. Also a new auditorium.
		1965	The old half-timbered house belonging to the Bopp Family at No. 14, Reitgasse, is demolished. The sole institute for the history of

pharmacy in the Federal Republic is established under the direction of Professor Dr. R. Schmitz.

1966 The official name of the town is now "The University Town of Marburg on the Lahn".

1967 Professor R. Siegert discovers the virus responsible for the "ape disease" (Marburg virus).

1968 The "Marburg Manifesto" on the democratization of the universities is proclaimed.

1969 Opening of the Stadthalle (Erwin Piscator Haus), 15 Biegenstraße, on September 30th.
Demolition of the chemist's shop known as the Grape Pharmacy at No. 15, Reitgasse.
Partnership with Marburg on the Drau (Maribor) in Yugoslavia established.
The Konrad Biesalski House for disabled students is opened.

1970 Demolition of the historical "Inn on the river Lahn". Dr. Hanno Drechsler becomes Lord Mayor.

1972 June 17th–26th: 12th Hessian Day and 750th anniversary of the city of Marburg.
Demolition of the old community hall.

1973 First pedestrian zone (Wettergasse) opened on November 8th. Europa swimming pool and Herder library established.

1974 July 1st: Incorporation of the villages Cappel, Marbach, Wehrda, Bauerbach, Bortshausen, Cyriaxweimar, Dagobertshausen, Dilschhausen, Elnhausen, Ginseldorf, Gisselberg, Haddamshausen, Hermershausen, Michelbach, Moischt, Ronhausen, Schröck and Wehrshausen.
68,922 residents, area 47.9 square miles.
New Literary Society founded.
Death of Hermann Schultze, first German professor of immune chemistry.
Death of Professor R. Theile (born 23. 3. 1915), pioneer of colour television.
Motorway through the town completed.
Federal headquarters of the Society for the Protection and Help of the Mentally Disabled established in Marburg.

1975 The first clinic for genetic diseases in Germany is established unter Professor Dr. G. G. Wendt.
Horten's department store is opened.

1977 450th anniversary of the Philipps University.

1979 Former Marburg student and professor of chemistry, Georg Wittig, is awarded the Nobel Prize for chemistry. Foto-Marburg published the "Marburg Index".

1980 Death of Professor E. Hückel (molecular theory).

1981 Opening of the university museum for cultural history in the castle wing known as Williamsbau.

1982 August 4th: Inauguration of the city restoration project in the Augustinergasse 1. Cost: 3,2 million DM.

1983 May 1st: 700th anniversary of the consecration of the St. Elisabeth Church.
June 10th–13th: The former village of Bauerbach, now a district of Marburg, celebrates its 850th anniversary.

1984 Death of the artist Erhard Klonk.
Death of Professor R. du Mesnil, pioneer of radiation therapy. Opening of the new hospital complex on the Lahnberge on December 7th.

1985 20th June: Opening of the commercial schools in the university town.
29th June–1st July: The Society of the Friends of Erlengraben in Weidenhausen celebrates its 175th anniversary.
21st August: the Social Democratic Party and the Green Party form a coalition.
15th September: Death of Professor Wolfgang Abendroth at the age of 79. He was professor of politics from 1951 to 1973 at the Philipps University.
4th October: Marburg's Hotel and Restaurant Association celebrates its 100th anniversary.

1986 17th January: The 200th anniversary of the birth of Wilhelm Grimm is commemorated with the opening of the exhibition "The Fairytale World of the Brothers Grimm" by the Lord Mayor, Dr. Hanno Drechsler.
2nd March: The Marburg Concert Society celebrates its 125th anniversary.
25th April: The Voluntary Fire Fighters Association, Marburg Centre, celebrates its 125th anniversary.
16th–20th May: The Young German National Sports Contest takes place in Marburg with 3,500 participants.
31st May–8th June: Week of celebrations to mark the 25th anniversary of the twinning of the towns Marburg and Poitiers.

De l'histoire de Marburg

1000 av. J.-C.	Tumulus sur les Lahnberge.
1140	Marburg est un «hôtel de la monnaie» et un lieu de marché.
1222	Le Landgrave Ludwig IV tient une audience du tribunal avec les bourgeois de la ville dans une grande église de Marburg: Marburg mentionnée comme ville.
1228	La Landgravine Elisabeth de Thuringe fonde l'hôpital de Marburg. «Il est de notre devoir de rendre les hommes joyeux!»
1231	La Landgravine Elisabeth de Thuringe, fille d'un roi de Hongrie, meurt le 17. 11. 1231 à l'âge de 24 ans.
1235	Canonisation d'Elisabeth. 14. 8. Pose de la première pierre de l'Eglise Ste Elisabeth.
1236	Passage de l'empereur Frédéric II à Marburg. Depuis 1236 Marburg est connue dans le monde comme un des quatre lieux de pèlerinage médiévaux les plus célèbres et plus visités de la Chrétienté avec Jérusalem, Rome et Saint Jacques de Compostelle.
1248	Sophie (veuve) duchesse de Lorraine et Brabant, fille de Sainte Elisabeth, et son fils se font rendre hommage à Marburg (fondation de Land de Hesse).
1260	Début de l'aménagement du château de Marburg comme siège princier et château fort.
1261	Grande incendie de la ville.
1283	Consécration de l'Eglise Ste Elisabeth (tombeau de Ste Elisabeth, église de l'Ordre Teutonique, lieu de pèlerinage sur le tombeau de la Sainte, église des tombeaux des Landgraves de Hesse).
1291	Construction du cloître des Dominicains à l'angle sud-est de la fortification de la ville qui deviendra l'université lors de sa fondation en 1527.
1311	La ville est soumise à l'autorité de l'Evêque Louis de Münster.
1330	Salle princière achevée dans le château, c'est la plus grande salle de château fort d'Allemagne.
1482	Consécration de l'église «Kugel St Johann».
1504	Naissance du landgrave Philippe le Magnanime.
1512	Pose de la première pierre de l'Hôtel de Ville (terminé en 1527).
1527	Le 30. 5. Fondation de la première Université protestante du monde. 1. 7. Ouverture de la Philipp Université avec 11 professeurs et 84 étudiants.
1529	Entretiens de religion 1.–4. 10. à Marburg entre Luther, Zwingli, Melanchton, Bucer, et d'autres.
1538	Mort du célèbre sculpteur sur bois Ludwig Juppe (Jupan), né en 1460 à Marburg.
1567	Mort de Philippe le 31. 3., partage du Landgraviat de Hesse entre ses 4 fils.
1593	Mort de l'architecte de la cour Eberdt Baldewein qui embellit la résidence de Ludwig à Marburg par de nombreuses constructions. La ville a environ 5100 habitants.
1604	Partage de la Haute-Hesse. Marburg revient à l'électorat de Hesse-Cassel; elle a environ 5800 habitants.
1648	Marburg perd près de la moitié de ses habitants pendant la guerre de 30 ans.
1688	Denis Papin est nommé professeur à Marburg.
1723	Le Landgrave Karl appelle le philosophe Christian Wolff (expulsé de Halle) à Marburg où il enseigna jusqu'en 1740.
1736	Michail Lomonossov étudie jusqu'en 1739 à Marburg et se marie là le 6. 6. 1740 avec Elisabeth Zilch.
1763	Dommages importants causés pendant la guerre de 7 ans. Le château change 7 fois de propriétaire, la ville 15 fois.
1764	Charge de maître de poste de Hesse à l'auberge «Cheval Blanc» (Barfüßergasse). C'est là que Goethe passa la nuit avec le duc Carl August le 17. 9. 1979.
1771	Friedrich Creuzer naît le 10. 3. (professeur, Pour le mérite).
1787	Heinricht Jung-Stilling est nommé professeur (jusqu'en 1803 à Marburg).
1788	Sophie von la Roche, célèbre écrivain, «Grand-mère des Brentanos» vient chez son fils Franz, étudiant à Marburg.
1789	Caroline Boehmer rend visite à son frère, le professeur de médecine Fritz Michaelis, à Marburg (plus tard elle épouse Schlegel, puis Schelling).
1795	Friedrich Carl von Savigny, étudiant en droit à Marburg, présente sa thèse en 1800,

professeur jusqu'en 1808, ami des frères Grimm et des Brentanos.

1798 Dietrich Weintraut naît le 27. 8. (maître tanneur et poète).

1802 Jacob Grimm étudiant en droit à Marburg, Wilhelm Grimm en 1803.

1803 Mariage de Clemens von Brentano avec Sophie Mereau à Marburg.

1806 La poétesse Bettina von Brentano quitte Marburg.

1807 De 1807 à 1813 Marburg est annexée au Royaume de Westphalie sous Jérôme Bonaparte.

1809 Abandon de l'Ordre Teutonique. L'hôpital Ste Elisabeth devient hôpital du Land et clinique universitaire.

1826 Eugène Höfling (1808–1888) étudiant en médecine, Wettergasse 16, «O alte Burschenherrlichkeit»).

1838 Naissance de Ludwig Bickell le 13. 9. (pionnier de la photographie, conservateur de la région).

1839 Robert Bunsen (1811–1899), professeur de chimie jusqu'en 1851. Pour le mérite pour l'art et la science.

1845 L'historien H. von Sybel (1817–1895) devient professeur à Marburg. Pour le mérite.

1846 Wilhelm Liebknecht étudie à Marburg; son fils Karl fut rédacteur à Marburg.

1847 Adolph Menzel fait des études préliminaires du tableau «Sophie von Brabant u. Heinrich». 6. 10. Naissance d'Adolf Hildebrand (sculpteur. Pour le Mérite, anobli).

1850 Ernst Ludwig Ranke (frère de Léopold) devient professeur de théologie (jusqu'en 1888).

1854 Doctorat de Konrad Duden (1829 1911).

1857 Doctorat de Carl Claus (1835–1899), professeur en 1863, créateur de la zoologie scientifique autrichienne. La ville a 7500 habitants.

1864 Dernière exécution à l'épée sur le «Rabenstein», le 14. 10.

1866 Marburg devient prussienne. 7718 habitants dans 781 maisons, 51 professeurs, 264 étudiants.

1867 Naissance du peintre Otto Ubbelohde le 5. 1.

1868 20. 4. Ferdinand Braun pionnier de la technique de la radio, porteur du Prix Nobel. 30. 7. Mort du professeur August Vilmar.

1872-79 et 1887-91 Reconstruction de l'Université à Lahntor 3 avec salle des actes et des fêtes.

1873 Ludwig Enneccerus devient professeur de droit (jusqu'en 1921).

1879 Wilhelm Herrmann professeur de théologie jusqu'en 1932. Professeur Georg Wenker crée l'Atlas linguistique d'allemand. La ville a 10122 habitants.

1880 Arrivée de Paul Natorp à Marburg.

1884 Max Hermann Bauer, expert en pierres précieuses réputé universellement, devient directeur de l'institut minéralogique. La ville a 11500 habitants et 925 étudiants.

1885 6. 4.: Julius Wellhausen (1844–1918) devient professeur de théologie; Orientaliste; Pour le mérite.

1886 Adolf Harnack devient professeur de théologie; historien d'églises; politicien de la culture. Pour le mérite.

1895 Albrecht Kossel (1853-1927) devient professeur d'hygiène et directeur de l'institut physiologique. Prix Nobel en 1910. 8. 4. Emil von Behring devient directeur de l'Institut pour l'hygiène (jusqu'en 1917). Ina Seidel, poétesse, à Marburg jusqu'en 1897.

1897 Otto Hahn étudie à Marburg; fondateur de l'ère de l'atome, Prix Nobel. 13. 7.: Inscription à l'université de Marburg de son millième étudiant.

1900 11. 2.: Naissance de Hans Georg, fils du célèbre chimiste pharmaceutique Joh. Gadamar, qui deviendra professeur de philosophie. Pour le mérite.

1901 30. 10. Emil von Behring est titulaire du Prix Nobel et le premier médecin du monde entier qui obtint ce prix.

1903 Gottfried Benn, poète et médecin (1886-1956), étudie la philosophie et la théologie à Marburg.

1904 Le 7 novembre, fondation de la firme Behring pour la fabrication de sérums et de vaccins.

1907 Ernst Reuter (1889-1953) étudie la philosophie jusqu'en 1911; membre du Reichstag; maire de Berlin. Ferdinand Sauerbruch devient maître de conférences en chirurgie à titre privé.

1909 2134 étudiants, parmi eux la poétesse Gertrud von Le Fort et Louise Berthold (elle sera plus tard la première femme à faire sa thèse de doctorat et le premier professeur féminin de l'Université Philipp). 8. mai: Thèse de doctorat d'Alfred Wegener (spécialiste en recherche sur le Groänland). Professeur de 1916 à 1919. Géophysicien célèbre dans le monde entier pour sa théorie de la dérive des continents.

2 septembre: Mort du docteur en philosophie h. c. Wilhelm Bücking (né le 20 décembre 1818 à Marburg), pionnier de la recherche historique de Marburg.

1910 José Ortega y Gasset étudie la philosophie à Marburg. Karl Ziegler (1898-1973) arrive à Marburg (en 1963 Prix Nobel de chimie). Pour le mérite.

1912 Thèse de doctorat de Rudolf Bultmann (1887-1976) (Pour le mérite). Werner Bergengruen, gendre du mathématicien Prof. Kurt Hensels, étudie la philosophie . Boris Pasternak (1890-1960) étudie la philosophie à Marburg (Prix Nobel).

1913 En 1913 le premier professeur titulaire d'histoire de l'art Richard Hamann crée «Photo Marburg» qui, aujourd'hui, représente la plus grande archive de photos d'art du monde. Avec ses photos qui s'élèvent à plus de 500.000 elle permet non seulement le commentaire de trésors culturels existants, mais aussi, après les destructions de la deuxième guerre mondiale elle rendit plus d'une restauration possible.

1914 Thomas Stearns Eliot (1888-1965), écrivain, est à Marburg (Prix Nobel).

1917 Création de l'établissement d'études et de la bibliothèque universitaire pour étudiants aveugles.

1919 3906 étudiants.
Introduction de deux semestres intérimaires.

1920 Le romaniste Ernst Robert Curtius (1886-1956) devient professeur (Pour le mérite).

1921 Etudiants de Marburg qui devinrent célèbres: Adolf Butenandt (né le 24. 3. 1903) (Pour le mérite; Prix Nobel); Gustav Heinemann (ancien Président de la République); Ernst Lemmer (1898-1969) (le plus jeune membre du Reichstag, membre du Bundestag et ministre); Wilhelm Röpke (économe politique); Percy Ernst Schramm (1894-1971) (professeur d'histoire; Pour le mérite); Adolf Reichwein (1898-1944) (Professeur; résistant).

1923 Martin Heidegger (1889-1976) devient professeur de philosophie à Marburg.

1926 Le psychiatre Ernst Kretschmer (1888–1964), célèbre dans le monde entier, devient Directeur de la Clinique de Marburg.

1927 400ième anniversaire de l'Université Philipp: donation du musée (Ernst v. Hülsen-Haus).

1929 Le premier avril Marburg devient administrativement indépendante.

1931 4387 étudiants (chiffre le plus élevé entre 1919 et 1939). La ville a 26500 habitants.

1934 Le vice-chancelier Franz von Papen tient son discours célèbre de Marburg le 17 juin.

1937 La poétesse Marie-Louise Kaschnitz vient s'installer à Marburg (Pour le mérite). Son mari est nommé professeur d'archéologie à Marburg.

1944 Première attaque aérienne sur Marburg le 22 février.

1945 La ville capitule sans combats.
25 septembre Réouverture de l'Université Philipp. La ville compte 46134 habitants dont plus de 10000 réfugiés.

1946 Les cercueils des rois de Prusse Frédéric-Guillaume 1er, Frédéric II le Grand et P. von Hindenburg sont ramenés à Marburg et placés à l'église Ste Elisabeth. Professeur Wilh. Walcher, «père de la physique nucléaire à Marburg», devient Directeur de l'institut Physico-Chimique.

1949 20. 3.: Mort du Prof. Dr. med. K. Justi qui fit des recherches sur l'histoire de la construction du château de Marburg.

1950 1. 1.: Mort du curateur Ernst von Hülsen, citoyen d'honneur, sénateur d'honneur.

1952 Epidémie de poliomyélite.

1954 Démolition du bâtiment «Alter Ritter», Markt 10.

1955 Inauguration de l'école Emil von Behring.

1957 Inauguration de la nouvelle école Elisabeth.

1958 Première opération à coeur ouvert réussie, par le professeur Rudolf Zenker (1903–1984). Prof. H. Stuute (1909–1982) est nommé Directeur de la Clinique Psychiatrique pour Enfants.

1961 Création d'un Groupe de Travail pour l'Education de l'Hygiène et de la Santé en Hesse. Achèvement de l'école professionnelle A. Reichwein.

1963 Début de la construction des bâtiments universitaires sur les «Lahnberge». Inauguration de l'église Paulus.

1964-67 Construction au bord de la Lahn des bâtiments universitaires destinés aux facultés de sciences humaines et à la bibliothèque universitaire. 48347 habitants; 311 membres dans le corps enseignant et 8228 étudiants. Nouvel amphithéâtre. Nouvelle clinique dentaire et d'orthopédie dento-faciale.

1965 Démolition de la maison à colombage Bopp, Reitgasse 14. Prof. Dr. R. Schmitz est nommé Directeur de l'Institut d'Histoire de la Pharmacie (unique en Allemagne).

1966 Nomination officielle de la ville «ville universitaire de Marburg an der Lahn».

1967 Prof. R. Siegert découvre l'agent pathogène de la «maladie des singes», le «virus de Marburg».
Naissance de 50.000ième habitant de Marburg.

1968 «Manifeste de Marburg» pour la dite démocratisation des grandes écoles.

1969 Ouverture de la Stadthalle (salle de spectacle) (Erwin-Piscator-Haus), Biegenstraße 18, le 30 septembre.
Achèvement du pont Konrad Adenauer et du pont Kurt Schumacher.
Démolition de la pharmacie Trauben, Reitgasse 15. Jumelage avec Marburg sur la Drave (Maribor, Yougoslavie). Aménagement d'un centre d'hébergement, Konrad Biesalski-Haus, pour les étudiants handicapés physiquement.
51.255 habitants; 9047 étudiants.

1970 Démolition de l'auberge historique «Wirtshaus an der Lahn».
Dr. Hanno Drechsler devient Premier Bourgmestre.

1972 Du 17 au 26 juin: 12ième fête de la Hesse et Marburg fête son 750ième anniversaire.
Démolition de la salle des fêtes.

1973 La fête d'inauguration de la première zone pietonnière (Wettergasse) a lieu le 8 novembre.
Inauguration de la piscine «Europa-Bad» et de la bibliothèque Herder.

1974 1. juillet: Nouveau grand district Marburg-Biedenkopf. Les villages de Cappel, Marbach, Wehrda, Bauerbach, Bortshausen, Cyriaxweimar, Dagobertshausen, Dilschhausen, Elnhausen, Ginseldorf, Gisselberg, Haddamshausen, Hermershausen, Michelbach, Moischt, Ronhausen, Schröck, Wehrshausen sont incorporés à la ville. 68.922 habitants, 124,03 km². Nouvelle société litéraire.
Mort d'Hermann Schultze, premier professeur allemand de chimie immunisante.
Mort de Prof. R. Theile (né le 23. 3. 1913), pionnier de la télévision en couleur.
Achèvement de l'autoroute contournant la ville.
Centrale Fédérale pour l'Aide aux Handicapés Mentaux.

1975 Première polyclinique génétique en Allemagne; le directeur est Prof. Dr. G. G. Wendt.
Ouverture du grand magasin Horten.

1977 L'université fête ses 450 ans.

1979 Prix Nobel de chimie pour l'ancien étudiant marbourgeois et professeur Georg Wittig. Photo Marburg publie «l'index de Marburg».

1980 Mort du Prof. E. Hückel (Théorie moléculaire).
13 mars: Exposition: «Aspect historique de la ville et protection des monuments».
Marburg obtient la Médaille d'Argent pour son exemple de restauration.
17 décembre: Naissance du 75.000ième Marburgeois.

1981 1 janvier: Entrée en vigueur du nouveau règlement des circonscriptions hessoises administratives. – Marburg fait partie de la nouvelle circonscription administrative de la Hesse du centre (Gießen) qui vient d'être récemment créée.
1 juillet: Création d'une zone de circulation automobile réduite dans la Barfüßerstraße.
13. 9.: Début des fêtes à l'occasion du 750ème anniversaire de la mort de Ste Elisabeth.
18. 11.: Inauguration du musée universitaire de l'histoire de la civilisation dans les bâtiments «Wilhelm» du château.
14.723 étudiants (hiver 1981/82).

1982 4. 8.: Inauguration du grand projet de restauration ruelle Augustine 1: 3,2 Mio DM.

1983 1. 5.: 700ème anniversaire de la consécration de l'église Ste Elisabeth. 10.–13. 6.: Le village de Bauerbach (district urbain de Marburg) fête ses 850 ans.

1984 Mort de l'artiste peintre Erhard Klonk. Mort du Prof. R. du Mesnil, «pionnier de la médecine radiologique».
7. 12.: Inauguration des nouvelles cliniques sur les Lahnberge.

1985 20. 6.: Inauguration des écoles commerciales de la ville universitaire de Marburg.
29. 6.–1. 7.: L'association «Erlengraben» du quartier de Marburg «Weidenhausen» fête le 175ème anniversaire de sa fondation.
21. 8.: SPD et Verts signent un programme de coalition.
15. 9.: Prof. Wolfgang Abendroth meurt à l'âge de 79 ans. Il fut professeur de sciences politiques à l'université de Marburg de 1951 à 1973.
4. 10.: L'association hôtelière de la circonscription administrative de Marburg fête le 100ème anniversaire de sa fondation.

1986 17. 1.: A l'occasion du 200ème anniversaire de Wilhelm Grimm, Dr. Drechsler, 1er bourgmestre, inaugure l'exposition «Le monde des contes des Frères Grimm».
2. 3.: L'association de concert de Marburg fête le 200ème anniversaire de sa fondation.
25. 4.: Le corps de pompiers volontaires de

Marburg centre fête le 125ème anniversaire de
sa fondation.
16.–20. 5.: Rencontre nationale de la jeunesse
sportive allemande à Marburg (3500 participants).
31. 5.–6. 6.: Semaine de festivités à l'occasion
des 25 ans de jumelage entre Marburg et Poitiers.

Aufnahmen

Seiten 2, 25, 27   Bildarchiv Foto Marburg

Alle anderen
Aufnahmen   Klaus Laaser, Marburg

Englische Fassung   Madeleine Kinsella, Marburg

Französische
Fassung   Lucette Karner,
                         Cölbe-Schönstadt

Lithos   R. Faesser, Berlin
                         Ginsa, Sociedad Anonima, Barcelona
                         Litho-Studio, Frankfurt
                         Schwitter AG, Basel
                         Wittemann und Küppers,
                         Frankfurt

Herstellung   Druckerei Kempkes
                         Offset- und Buchdruck GmbH
                         Gladenbach